圖書與資訊叢書〈第三號〉

圖書館自動化導論

張鼎鍾 編著

修訂版

中國圖書館學會 出版

臺灣學生書局印行

A Primer of Library Automation

Margaret C. Fung

Revised Edition

Published by Library Association of China
Printed by Taiwan Student Book Co.

沈　序

　　張鼎鍾教授的大作「圖書館自動化導論」是一部名著，甚受圖書資訊界的重視與歡迎。問世不久，就推出修訂版。因此，當我應邀爲新版寫序時，我便以極端欣慰的心情答應下來。

　　何謂「序」（ preface ）？在「牛津英文大字典簡篇」的字意解釋中曾用了“ to introduce”字樣。經過仔細閱讀考慮，我認爲“ to introduce ” 不外兩種涵義：推荐著作和介紹著者，就介紹著者而言，張鼎鍾教授鼎鼎大名，享譽國際，何庸我來介紹？就推荐著作而論，這部書已經暢銷，好像並不需要我或任何人推荐。旣然如此，爲甚麼我仍然要多此一舉來寫序，而且是以極端欣慰的心情來寫序？

　　第一， 這部書是中國圖書館學會的出版品。學會對於出版專書，在選擇上， 一向採取高標準，幾十年來只出版了專書四種。如果加上旅美學人李華偉博士的論文集（正排版中），也不過五種。「質」雖然精，在「量」上却嫌單薄了一點。和外國同行談到這個問題，多少有點不好意思。我國圖書資訊界人才濟濟，尤其希望靑年才俊之士多多效法張敎授的榜樣，埋頭案首，研究寫作，以充實圖書資訊學文獻。

　　第二，這部書優點甚多。我個人認爲，張敎授最大成就，是能夠將理論與實際結合起來。所謂自動化是現代圖書館事業必需要走的一條路。民國六十年，我曾在「圖書館學報」第十一期中發表「圖書館工作自動化問題」一文。內容上雖然乏善可陳，却起了「拋磚引玉」的作用。我的文字是「磚」，張教授的作爲和著作是「玉」。爲了寫這篇序，我曾經專誠拜訪國立臺灣師範大學圖書館館長林孟眞教授和若干圖書館高級主管，以取得第一手資料。我聽到的是一片讚美之聲。師大圖書館是自動化的發源地，張教授在館長任內，主持編製「教育資料論文摘要」資料庫，引進國際百科領導圖書館自動化標準之研究與推行，如Chinese MARC Formats 和 CCCII 都是開風氣之先，有聲有色的大手筆，使中文圖書自動化之標準爲國際間採用。本書的出版，更是圖書館自動化的權威著作，爲圖書資訊界必讀之書。

第三，我們常用「實至名歸」，「名利雙收」的語句形容寫作完成的人。張教授却與衆不同。她寫作本書，既不爲「名」，更不爲「利」。說到「名」，誰不認識 Dr. Margaret Fung？版稅她已全部捐贈給中國圖書館學會，能說她要「利」嗎？「學而優則仕」，張教授以全票當選考試委員，在百忙之中她仍然專心寫作，並不因爲做了特任官而忽略了圖書資訊本行，你能不佩服她嗎？

在圖書資訊界中，張教授經常是推動工作的主力（ Driving force ）。我常說：“ Margaret is the pride of our profession.”現在我更要在這句話中增加一個字：“ Margaret is indeed the pride of our profession.”

中國圖書館學會理事長 **沈寶環** 謹序

民國八十年七月

自 序

　　由於資訊爆發及精緻社會之需求，已使圖書館自動化成爲圖書館業務必循之途。因科技成品之精良，運用電腦來提供圖書館之讀者服務與技術服務，並用以處理行政業務，也已成爲一項普遍的現象。爲因應這種現況及趨勢，曾於過去十年來先後在歐美進行有關之研究；發起國內圖書館自動化計劃；提倡中文圖書資料自動化國際標準之訂定；建立中文教育資料庫；引進國際資料庫；幷協助國際間推動中日韓文（Ｃ．Ｊ．Ｋ．）自動化作業。

　　近三年來在美國University of Illinois香檳校區兼任客座教授，從事圖書館自動化專題研究，予以綜合,及系統化地整理，分十章撰述簡淺的導論，說明圖書館自動化之定義、功能與目的；範圍和類別；電腦設備與標準；採訪作業；編目作業;期刊管理；出納制度；參考服務；館際合作和資訊網；系統設置及選擇須知等。

　　本書涉及理論之研議及實務之執行，必有疏漏之處。但期以之建立基本觀念，幷提供實務和趨勢方面的認知，作爲研究和運用圖書館自動化作業之參考。有關中文圖書自動化作業方面，除了對標準及國外實務作簡單的說明外，國內中文圖書自動化的發展，與高深的圖書館自動化應用方面之課題，將另撰書說明。

　　研究期中承依大教授Dr. Charles Davis、Dr. J. L. Divilbiss、Professor F. W. Lancaster、Dr. Debora Shaw、

Dr. Linda Smith 及國內圖書館資訊界先進與同道惠賜指導、陳國瑯、吳秀峯和張俊君等三位小姐協助校對，蒙家人給予無限支援和鼓勵，特此一併致誠摯的謝意。

　　第一版告罄已久，承蒙同道的愛護與支持，中國圖書館學會和臺灣學生書局都盼望我作一修訂後再版。除了本人所擬修正者，還承沈理事長寶環教授撰序，同道們如張錦郎先生和邱淑麗女士提供修正意見及李東芬小姐協助校對，修訂版得以問世，謹向他們致最深的謝忱。

編著者識
民國八十年七月

圖書館自動化導論

目 次

沈　　序 ……………………………………………… I

自　　序 ……………………………………………… III

附　　圖 ……………………………………………… VII

第一章　圖書館自動化之定義、功能與目的 ……………… 1

第二章　圖書館自動化之範圍和類別 …………………… 7

第三章　圖書館自動化之電腦設備 ……………………… 13

第四章　圖書館自動化之標準 …………………………… 37

第五章　圖書館自動化之採訪與編目作業 ……………… 51

第六章　圖書館自動化出納制度、期刊管理與行政作業 … 59

第七章　圖書館自動化參考服務 ………………………… 67

第八章　圖書館自動化與館際合作和資訊網 …………… 83

第九章　圖書館自動化作業之設置與選擇 ……………… 95

第十章　圖書館自動化作業之趨勢 ………………………117

附　　註 ……………………………………… 123

附　　錄 ……………………………………… 137

　選擇圖書館自動化系統可參考之資源 ……… 139

　參考書目 …………………………………… 141

　中文索引 …………………………………… 161

　英文索引 …………………………………… 173

附　　圖

圖1　圖書館自動化作業各單元關係圖……………………11

圖2　數位電腦的主要部份…………………………………19

圖3　資料結構圖……………………………………………36

圖4　中文資訊交換碼結構圖………………………………42

圖5-1　國際機讀編目格式——記錄標示…………………46

圖5-2　國際機讀編目格式——指引………………………47

圖5-3　國際機讀編目格式——書目登記欄………………47

圖6　星形資訊圖……………………………………………86

圖7　樹狀資訊圖……………………………………………86

圖8　網狀資訊圖……………………………………………86

圖9　環狀資訊圖……………………………………………86

圖10　流程圖符號……………………………………………98

圖11　分段圖示範……………………………………………99

圖　片

第一章
圖書館自動化之定義、功能與目的

- 定義
- 功能
- 目的

第一章

圖書館自動化之定義、功能與目的

壹、定　　義：

圖書館自動化（Library Automation），（Library Mechanization），或（Data Processing in Libraries）有二種涵義：

一廣義：舉凡運用機械設備取代人工，用機器來處理圖書館業務，統稱為圖書館自動化。其中包括以各種機器來執行圖書館的業務，如卡片印刷機、電動運書機（Electric Book Conveyor）、圖書防盜設備（Security Device）、密集書庫（Compact Shelving），甚至自動化同步的視聽設備（Synchronized Audio-Visual Equipments）都可列入圖書館自動化廣義的範疇之內。

二狹義：運用電腦（Computer）來處理圖書館的作業及提供的服務，諸如：圖書採訪、編目、期刊管理、出納制度、參考諮詢、行政管理等均屬之❶。

本書所討論之範圍限於一般狹義之圖書館自動化而言，亦即扼要地說明圖書館如何運用電腦之設備及技術來處理資料、協助採訪、維護及利用館藏，經電傳設備提供圖書資源之共享，并作行政管理等工作。

貳、功　　能：

　　圖書館的功能是以有系統的方法來蒐集、整理、分析、組織、儲存資料以備利用。電腦的基本功能也在於此。在基本功能和目的上，圖書館與電腦十分地相近。由於電腦速度快容量大，運用電腦來處理圖書館龐大的資料和重覆的工作，有下列的效益❷：

　　一、增加生產量，減低單項作業之成本；

　　二、減少人力；

　　三、增進控制；

　　四、減低錯誤；

　　五、增加速度與效率；

　　六、促進合作及加強傳播。

叁、目　　的：

　　圖書館經營的目標大致可以歸納成下面三項：

　　一、如何使讀者能充份利用圖書館的資源？

　　二、如何能充份地發揮圖書館的服務功能？

　　三、如何能獲致圖書館的管理效率？

　　所以，圖書館自動化就是促進圖書館達到上述三面一體目的

的一種工具。由於電腦處理資料的容量及其速度的特性，圖書館
的業務可因此達到經濟化、快速化、和正確化的效果。圖書館自
動化本身不是圖書館經營的目的，而是一種使圖書館達到充份被
利用，能充份提供最正確及快速服務一種工具或方法❸。換言之，
圖書館自動化作業就是以圖書館經營的目的爲目的。也就是要以
最經濟的費用，以最快的速度提供大量、正確的資料和整體的服
務給衆多的讀者使用。

第二章

圖書館自動化之範圍和類別

- 依圖書館業務類型分
- 依作業性質分
- 依自動化作業方式分
- 依系統性質分
- 依系統來源分

第二章

圖書館自動化之範圍和類別

壹、依圖書館業務類型分❹：

一技術服務：包括採訪、編目、期刊管理、出納及裝訂等。

二讀者服務：包括自動化參考服務，又稱電腦輔助參考、諮
詢服務及運用電腦輔助編印參考工具資料等。

三行政管理：包括執行人事、財務等行政管理作業與編製統
計來進行分析及作業研究。運用電腦來協助圖書館編製數
據資料，使之採取科學管理原則來經營圖書館業務，以符合
F. W. Taylor 的管理學理論。以收數據資料作爲決策的
根據，用科學方式取代倉促的無根可據之決策❺。

貳、依作業性質分：

一管理性：包括採訪、編目、出納、裝訂、行政管理。

二諮詢性：即電腦輔助之參考服務亦稱資訊檢索（ In-
formation Retrieval ）。

叁、依自動化作業方式分：

一線上作業（On-line System ）：在終端機上即時進行。

二線下作業（Off-line System）亦稱分批作業（Batch System）：即利用孔卡或紙帶爲媒介來記錄資料，聚集後，再一批批處理。

肆、依系統性質分：

一、單一系統（Stand-alone System）即獨立系統：單獨之硬體和軟體設備，單獨作業或做一單項業務者，如採訪，如流通。

二、統整系統（Integrated System）或稱整合系統（Total System）：各種功能均在此一系統內進行。由一系統提供所有的自動化服務。

三、資訊網組織系統（Network System）或稱合作系統（Shared System）：圖書館參與某一資訊網，或與幾個圖書館組成合作組織，共享書目及其他之副系統。

圖書館自動化作業的範圍與類型及所用系統有密切關係。運用大型電腦來進行同一時間要一齊辦理的工作，如書目供用中心（Bibliographic Utilities）。迷你電腦是單一圖書館和一小群圖書館用來處理多元功能的系統，而微電腦只能在某一時間進行一個功能，如文書處理、統計分析、會計作業、分配員工工作時間、登錄期刊等。

伍 以系統來源分：

一、轉鍵系統（Turnkey System）又稱成品系統（Off-

the-Shelf ）：即一已經設計發展完備的系統，已設計爲
硬體軟體，具有說明書包括訓練和參考或維護服務資料。

二改裝系統（ Adapted System ）：採用某一套軟體，使之適
用於現有的電腦系統上。

三本地發展的系統（ Locally-Developed System ）：專爲
此圖書館之需求所設計的軟體，運用到爲圖書館業務專門
購置的電腦設備上，或裝到電腦中心大家共用的機具上去。

　　採錄、編目、出納、參考服務、統計、管理及財務可說是圖
書館整個業務的項目。這六項又單獨爲一獨立的單元，也可能是
相互有關且相輔相成，一體多元，六位一體的情況：

圖 1　圖書館自動化作業各單元關係圖

第三章

圖書館自動化之電腦設備

・電腦初步發展階段
・電腦設備
・數位電腦的類型
・自動化系統組件

第三章

圖書館自動化之電腦設備

壹、電腦初步發展階段：

　　自動化作業可追溯到資料的演算，最先的運算媒介可謂是算盤，用珠子來貯存幷代表數字。現代電腦運算數字也是用同樣的觀念。數位電腦的起源可追溯到下列幾個主要的發展❻：

一、Blaise Pascal 在 1664 年發展出算術機（ Arithmetic machine ）用輪子及數字來演算。

二、Gottfried Leibniz 在 1671年製作出有乘除功能的計算機。

三、Charles Babbage 在 1800 年製造出 Difference Engine 進行多面計劃，他的構想——記憶體、中央處理機及貯存是現代電腦的前驅。

四、十九世紀末期時，美國陸軍軍醫院圖書館長 John Billings 提供意見給 Herman Hollerich ，用打孔卡片來貯藏資料以進行美國人口普查的工作。 1896 年 Hollerich 創辦了（ Tabulating Machine Company），即國際事務機器公司—IBM 的前身。

五、二十世紀中期 1937 年 Howard Aiken 計劃製作自動數字計算機稱爲 MARK 1 。

六、1946年 J. Eckert 及 John Mauchly 在賓州大學根據 Aiken

　　的MARK 1 發展出用真空管製作的計算機稱爲ENIAC。

　　首先利用電腦來有效地處理圖書館作業的是德州大學Ralph Parker 在 1936 年用孔卡來進行出納工作❼。

　　有人也將圖書館自動化資料檢索的觀念歸功於麻省理工學院的Vannevar Bush。他首先設計了一個Difference Analyzer 并於 1945 年作圖書館自動化 " MEMEX " 的預測❽。1965 年他進行之資訊移轉試驗 INTREX (Information Transfer Experiments) 是圖書館自動化關鍵性的計劃。試驗用微縮影片及數位電腦來貯存圖書館的資料❾。這個計劃在麻省理工學院的工程圖書館試驗到 1973 年，可謂是圖書館自動化線上作業最先的里程碑。

貳、電腦設備：

　　電腦有三類：一爲類比電腦 (Analog Computer) ，一爲數位電腦 (Digital Computer)，一爲混合電腦 (Hybrid Computer)❿。圖書館自動化通常運用數位電腦;其具備下列五種功能：

　　一傳換資料：輸入資料轉換成機讀 (Machine Readable) 資料而後再由機讀式資料轉換成文字資料。

　　二儲存資料：將資料儲存於記憶體中。

　　三演算資料：執行加、減、乘、除及邏輯運算。

　　四傳輸資料：電腦內部機件及電腦與電腦間之傳輸。

　　五顯示資料：將所處理後之資料顯示出來。

叁、數位電腦的類型：

電腦的類型是依外型的大小，處理的能力、所想做的應用以及價格的高低而定，一般可分三或四種⓫：

超型電腦（ Super or Maxi‐Computer ）及大型電腦（ Mainframe 或 Full Size ）：

可以同時處理 16-64 位(數)元或比次(Bits)的資料。有四佰萬到三千二佰萬字元，速度亦可達毫微秒（ Nanosecond ）即億分之一秒。

迷你（ Mini ）電腦：

亦有超級迷你電腦，其力量可與大型電腦比美，他們的字長（ Word Length ）是 32 位(數)元或比次。記憶可達數百萬字。一般之迷你電腦是 16 位(數)元或比次的，操作系統是以微秒（ microsecond ）（ 即百萬分之一秒 ）計算，可記憶之能力達十二萬八千到一百萬字。

微（ Micro ）電腦：

又稱為個人電腦或專業電腦：此電腦之中央處理機是微處理機，即用一個晶片之集體電路來處理電腦控制、演算及邏輯的工作。微電腦亦有時用作為大電腦的零件，可記憶字的長度是 8 到 16 位元或數元為單位，操作的速度是以毫秒(Milliseconds) 來計算，提供一萬六千到十二萬八千字元的主記憶體，也有用高達六萬四及廿五萬六千字元的。

電腦字長（Word Length ）與其計算的能力成正比，愈長就愈要大的電腦來處理資料⑫。

類　型	字　長
超型電腦（ Super Computer ）	64, 128
大型電腦（ Mainframe ）	16, 32
迷你電腦（ Minicomputer ）	8, 16, 32
微電腦（ Microcomputer ）	8, 16

電腦有時亦以 " 代 "（Generation ）來分類⑬：

第一代：用真空管（ Vaccum Tubes) 1939-46
第二代：用電晶體（ Transistors) 1948-58
第三代：用積體電路（ Integrated Circuits) 1959-66
第四代：用大型積體電路(LS /VLS Integrated Arrays)
　　　　1971-80
第五代：用人工智慧（ Artificial Intelligence) 1981-

肆　自動化系統組件

圖書館自動化作業運用數位電腦來達成轉換、儲存、演算、傳輸和顯示資料的功能。系統含有三種主要組件：

一、硬體（ Hardware ）即機具或設備。

二、軟體（ Software ）即指使硬體執行活動的程式。

三、資料（ Data ）即可被儲存、處理而後供檢索及使用之資
　　訊。

（一）硬　體⓮：

數位電腦包括三種主要部分：

一、中央處理機

二、記憶部分

三、週邊設備

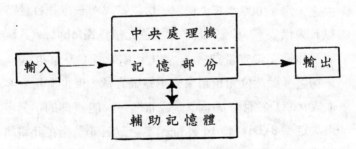

圖2　數位電腦的主要部分

一、中央處理機（ Central Processor Unit ）：含控制部份
　　（ Control Unit ）、演算或邏輯部份（ Arithmetic 或

Logic Unit ）——就是指令演算邏輯部份、記憶部份及週邊設備執行活動的主要控制器。演算及邏輯部份除執行加、減、乘、除外尚有執行涉及測驗與比較資料的邏輯活動。

二記憶部份（ Memory Unit ）——記憶部份是在中央處理機儲存的資料和程式，亦稱主要記憶，以與輔助記憶(Aux-iliary ） 或第二記憶體（ Secondary ）有所區別。所儲存的資料是字元（ Character ），包括文字、數字、標點符號及其他符號。每一個字元是用 1 或 0 代表，因此這種編碼符號稱爲二進位制數位 (Binary digit)、位（ 數 ）元或比次(Bit)。多位數之位元種稱爲位(數)元組或 Byte。每一位元組裡的位元數量常因交換碼而異，通常是七個或八個位元爲一位元組。電腦記憶體容量通常以 " K " 來代表，每一 K 是 1,024 位元組。1,024 位元組之零數 24 常去之，用 1,000 " K " 代表，所以當說明一電腦容量時常以 K 來代表。" K " 千個字元或位元組爲 Kilobytes(KB)。目前電腦記憶容量益增， 常以十億位元（ Gigabytes ）來稱之。雖然位元組用來表示電腦容量，但也有用 " 字 "（ Word ）來說明，也就是說電腦一次能 處理的字元多寡來決定。 8-Bit-word 八位元字之電腦就是指在此電腦可同時處理一個位元組即八位元字的資料。目前電腦可同時處理的 " 字 " 長是由 8 位元到 64 位元，故而電腦記憶體計算方式是用以下的方法進行將字長乘位元再以每位元組的位元數字 8 除之。譬如說一組 64K 16-bit words 的記

憶體就代表（ 64 × 1024 × 16 ）÷ 8　此字元的記憶容量
是 131,072 （ 128K ）。

三週邊設備（ Peripheral Equipments ）含輸入（ Input ）
與輸出（ Output ）設備及輔助記憶體。

1.輸入設備（ Input ）：

輸入設備是將資料進入電腦，使之變爲機讀式資料(Machine Readable ）的設備，分爲四種：

(A)鍵盤式（ Keyboard Input ）

　a. 打字機之鍵盤——將文字一一打入。

　b. 打孔機——在預定的卡片上的行和列上打孔。後者
　　已陳舊，使用機會甚少。

鍵盤輸入儲存（ Key-to-storage ）資料的方法有二種:

　a. 磁帶輸入法（ Key-to-tape ）是用鍵盤終端機、磁
　　帶記錄機。資料可以鍵盤輸入，操作人可在終端機
　　上看到所鍵入之資料，磁帶上所記錄之資料可再經
　　磁帶閱讀機讀入電腦。

　.b. 磁碟輸入法（ Key-to-disk ）直接由鍵盤線上輸入
　　磁碟。

(B)掃描式（ Electronic Scanning Input ）——運用掃
　描器將反光的資料代號直接輸入電腦：

　a. 光筆（ Light Pen ）閱讀條碼（Bar Code 或 Zebra
　　Code ），即用線條之高度、寬度和距離來表示資
　　料。所能輸入資料數量有限，不能超過十八個字元。

有名的條碼有 Monarch's Codebar 和 Universal
Product Code 等。

b. 光學辨認器 (Optical Character Recognition
Reader 又簡稱OCR) ，目前可用之辨認器對字體
有特別嚴格的要求，有些打字機如 IBM電動打字機
可打出OCR可辨認的字體。

(C)聲音 (Voice) 。

(D)接觸銀幕 (Screen Touch) 的輸入方式。

2 輸出設備 (Output) :

輸出設備是將電腦處理後的機讀式資料轉變為閱讀資料
的方式，適用於圖書館的計分四種:

(A)印刷機亦稱印表機 (Printer) :

a. 行印機 (Line Printer)── 一行一行連續印出。

b. 雷射印表機亦稱頁印機(Laser Printer 亦稱Page
Printer) 。

c. 點矩陣印表機 (Dot Matrix Printer) 每個字印
出。印刷之速度，清晰性和價格的差距非常大。

(B)電腦輸出縮影機 (Computer Output Microfilm)
又稱為COM，用閱讀機可讀電腦中的資料轉到縮影
片 (Microfiche) 或縮影捲 (Microfilm)的資料。
此縮影機可在每分鐘內縮影一萬行到四萬行之間。縮
影的倍數大約可達 48 倍。一張縮影片可含 270 頁的
資料，一百尺長的十六米厘縮影捲可含七千二百頁。

(C)螢幕顯示機（Video Display Units（VDU）或Ca-
thode-ray Tube（CRT）又稱爲終端機如電視之螢
幕，通常是與鍵盤連接在一起，有交互作用（Inter-
active Function），構成系統的一部份，與輸入設備
配合。此螢幕的速度得與電腦連接電傳設備的速度而
定。每秒鐘可顯示資料的速度因機型不同而異。

(D)聲音輸出（Voice Output）。

3. 機外或輔助儲存設備（Secondary or Auxiliary Storage）：

此儲存之媒介是爲貯存資料，準備處理而設的：

(A)磁帶（Magnetic Tape）這是最經濟的輔助儲存方
式，有二分之一英吋寬，二千餘尺長如影片式之磁帶，
亦有卡式短的磁帶捲。它通常是分成九個磁軌（Par-
allel Tracks），每一個磁軌記錄一個數元(位元)，
八個數元代表一個字元，最後一個數元稱是同位位元
（Parity Bit）做爲查核錯誤用，磁帶上所錄連續
字元的單位稱爲" 段"（Block），每一英吋可錄八
百到一千六佰個位元。也有高達6,250位元者。促使
此儲存媒介活動之週邊設備是磁帶機(Magnetic Tape
Drive)，每秒鐘可處理三萬到數百萬字元，因係連
續之活動，必須要費些時間，始能獲得某份所須的資
料。

(B)磁碟（Magnetic Disk）：這種磁套碟是一個字元一

個字元地將資料儲存在同心圓的軌道上。在一個磁碟組上（Disk Pack）可放好幾個磁碟。每個磁碟裡容量不等由一千萬到三億個字元的資料。磁碟是圖書館自動化所常用主要的機外儲存器，但價格較高，速度亦慢。

(C)溫沙碟（Winchester Disk ）——此一新發展的科技成品，在每一英吋上可含一萬二仟個位元，較上述的磁碟容量爲大。由於其速度及結構完善，爲最有效而可靠的儲存器。

(D)軟性磁片（Floppy Disk）常用於微電腦之軟性磁片，有五又四分之一英吋及八英吋兩種可含三千到二百萬字元之資料。

(E)立體儲藏（Holographic Storage ）是用雷射技術來存資料到立體照相上。這些錄影都是三面立體的。在儲藏資料方面尚有一個位於輸入輸出設備與電腦之間之記憶體稱爲緩衝記憶（Buffer ）或稱爲資料同步器（Data Synchronizer），這是在輸入及處理之間或處理及輸出之間那個階段的儲藏。

(F)光碟CD-ROM(Compact Disc Read Only Memory; Optical Disk）是 1983 年才開始的新科技，主要是利用雷射及電腦將資料作數元化的貯存。光碟機利用雷射光以呈螺旋狀軌道型態分佈在光碟上的小洞 Pits 攝取資料。每次雷射進入小洞之間平坦部分(Lands)或由平坦部份進入小洞時，返回的光信號就會改變，由於這些改變，就變成數據資料，即由小洞及平坦部份代表 1 和 0。一片 4 英吋半的光碟其貯存量可達 600 MB。一片 12 吋的光碟可貯十億數元組（Giga-bytes），等於 1000 個畫面。除了貯存量大外，資訊不能取消，故有永久性。由於 CD-ROM 用來做個人電腦的週邊裝設備，龐大的資料庫可由大型電腦錄到個人電腦上運作。此種貯藏媒介已廣泛地運用到資料庫的資訊檢索上去。光碟機（Optical Drive）稱爲 WORM（Write Once, Read Many）這種只寫一次，無法消除記錄，永久保存資料的技術，對圖書館自動化作業的影響甚大❶❻。

(G)錄影碟（Video Disc）：與光碟相似，但 12 吋的錄影碟的一面可儲存五萬四千個畫面的錄影影像，擁有容量大的畫面可隨意而單獨攝取到，所用的信號不是數位的而是類比的。

(H)卡片：80 行卡片，經打孔記錄資料，再由讀卡機將資料讀入電腦。

4. 電傳設備：

(A)電線方式：將終端機和電腦連接在一齊的電傳方式約有三種❶❼：

　　a.單向路線（Simplex cable）向一個方向傳播。

　　b.半雙向路線（Half duplex）非同時雙向傳播。

　　c.全雙向路線（Full duplex）同時雙向傳播。

(B)光纖線（ Fiber Optics ）：光纖可以帶雷射光傳遞及視
覺所用的資料。

(C)衞星傳播（ Satellite Communication ）。

(D)影象傳眞（ Facsimile Transmission ）這個圖書館自動
化主要工具，可將原文用掃描器閱讀後電傳方式以原文及
原影象傳給讀者。

㈡軟　體：

軟體是使電腦進行某件活動的程式或指令，也就是程式裡的
指令和資料經進入主要記憶體，向電腦發號施令。當使用時，此
軟體應置於中央處理機內，不用時亦可暫存在輔助記憶系統中。

軟體的選擇與硬體有密切的關係，大部份的軟體都和硬體有
關，是依據某種機器而設計的。在這種情形下，此軟體就只適用
於該機具。以往這種指令都要在每次使用時放入中央記憶體。現
在因科技的進步，執行程式都以電子電路（Electronic Circuits
）永久記錄在中央處理系統的記憶體裡，稱爲Read-only-memo-
ry（ROM） 。有一類程式由個別電腦公司寫出，亦稱爲靱體
（ Firmware ）。

軟體分爲兩種：

一系統軟體（ System Software ）即運作系統（ Operat-
ing System ）或稱操作系統（ 指揮控制及管理電腦的
程式 ）。

二應用軟體（ Application Software ）。

前者是使用者和電腦間的媒介，特爲此電腦機具安排作業程

序等，而應用程式則爲某一項自動化作業所寫的程式。

一操作系統（Operating System）分爲三大類：

(1)分批操作系統（Batch Processing Operating Sys-tem）——分批操作系統用作業控制語言（Job Con-trol Language 作爲操作系統語言(Operating System Language 簡稱OSL）包括許多指令（Command）。

指令語言（Command Language）亦稱 Operating Language，是一些關鍵字，用以指揮電腦之操作如Search（查）Edit（編）delete（删）Save（存）和合併（Merge）都是軟體系統的指令語言。

(2)交互作用操作系統（Interactive Operating System)——是電腦使用者可以相互傳遞意見；當一主機爲幾位同時使用，產生交互作用系統，稱爲分時系統（Time Sharing System）。

(3)即時操作系統（Real Time System）——是爲軍事或工業控制程序所特別設計速度快的系統。

早期運用到圖書館自動化的系統是分批操作，七十年代後即用交互作用之操作系統。

操作系統（Operating System）之程式：由多種程式所組成，其中最常用的程式有下列幾種：

1.組合語言程式（Assembler）：用以編輯組合語言程式，使之成爲機器語言程式。

2. 編修程式（Editor）：用以編修文件，撰寫或修正程式。

3. 高級語言編譯程式(Compiler)：用來翻譯高級程式語言者。

4. 高級語言翻譯執行程式（Interpreter）：用來翻譯幷執行高級語言程式。

近年來爲解決翻譯語言程式處理欠佳的情形，運用MUMPS程式語言發展出一種富交互作用，一般性的操作系統稱爲MIIS（Meditech Interpretive Information System）⓭。

二應用軟體系統（Application Software）：

爲某一件圖書館自動化所寫的程式。最主要的步驟是先作系統分析，經過系統分析了解操作的步驟，畫成流程圖而後發展程式。應用程式大都用電腦高級之程式語言寫出，茲列舉幾個較普通的電腦語言：

1. 培基語言（Beginner's All Purpose Symbolic Instruction Code 簡稱BASIC）雖使用代數式符號，但是最簡單的線上作業語言，適用於小型電腦，可處理科技及商用資料。

2. 商用程式語言（Common Business Oriented Language 簡稱COBOL）—— 亦是用如自然語言方式寫出，是比較能與機具廠家不發生關係的獨立語言。由於其需記憶之數量大，不適用到迷你或微電腦之系統上。Data Phase Systems 及 Virginia Tech Library System（VTLS）均用此程式語言。

3. 福傳程式（Formula Translation簡稱FORTRAN）是用代

數符號寫出，較適用於工程、物理、統計、分析、社會科學及商業方面遇到的數學問題。Gaylord Brothers 使用福傳程式及組合程式語言寫迷你電腦應用方面的程式。

因爲圖書館作業的性質關係，需要處理大量而複雜的資料，也常用 ALGOL (Algorithmic Language)，RPG (Report Program Generator)，PL/1 (Programming Language/1 及 PASCAL 等和最近演變出一些連續處理文字的電腦語言 (String Processing Language) 如 COMIT, LISP 及 SNOWBOL 4 等。

三、應用程式成品：

應用程式成品或稱軟體成品 (Application Software Package)：一般應用程式不由電腦製造廠提供，使用自己發展者耗人力、物力及時間至鉅。以購買用資料庫管理系統爲基礎發展出的軟體成品較爲經濟。八十年代以後有名之產品如下：

IBM 之 DOBIS

Pikes Peak Regional Library District 之 Maggie's Place

西北大學圖書館之 NOTIS

Virginia Tech University Library 之 VTLS

Universal Library Systems

資料庫管理系統 (Data Base Management System) 簡稱 (DBMS)。多數之資料集爲資料庫。資料庫管理系統是一種軟體成品，可運用到各種圖書館自動化作業上去。

四軟體成品簡介：

一、Northwestern Online Total Integrated System（
　　NOTIS）是由美國西北大學發展的系統整性圖書館軟體
　　應用成品，運用 IBM 4300 或與之相等的機具，用 IBM
　　之 BASIC Assembler 語言寫出程式，有下列功能⑲：
　　(1)資料庫管理系統
　　(2)編目
　　(3)採訪
　　(4)期刊控制
　　(5)權威檔管理系統
　　(6)公用書目
　　(7)流通（出納）
　基本上它是一個書目檔與其他的檔案連接，而後產生的索引
檔，以著者、書名和標題來檢索，隨時可用切裁方式(Trun-
cate)，顯示出由那個字開始的資料。

二、On-Line Library Information System (OLIS) 是Re-
　　public Geothermal Incorporated 用惠普公司Hewlett-
　　Packard HP 3000 迷你電腦及其 Image 3000資料庫管理
　　系統發展出的一套應用成品。有下列的功能⑳：
　　(1)編目
　　(2)流通（出納）
　　(3)採訪
　　(4)公用目錄

它亦是可以著者、書名、標題、和其他使用自己想用的組合來檢索。

三DOBIS/LIBS 是合併西德University of Dortmund 所用的Dortmunder Bibliotheksystem 和魯汶天主教大學所用的Leuvens Integral Bibliothek System 二套軟體系統設計而成。所用設備是 IBM 370，135 到 168 號的電腦，有以下的功能❹：

(1)編目

(2)採訪

(3)流通

(4)期刊管理

(5)目錄檢索（Catalog Searching）

此成品近加改善後稱為 IBM DOBIS/LIBIS-SSX/VSE 具備 Small System Executive/Virtual System Extended 適用於 IBM 4300 機型，在北美市場並不普遍，多向國外市場推銷，為一較新之線上圖書館管理系統，包括下列功能：

(1)採訪——包括財務會計控制、催書等

(2)編目

(3)公用目錄

(4)期刊管理

(5)流通（出納）

(6)行政管理統計數字及報表等

四Maggie's Place 軟體成品是 Colorado Springs Pike's Peak Library 在迪吉多DEC PDP/II迷你電腦上發展出

的軟體，它有採訪和流通的功能。其採訪系統較佳，因為它有線上發訂單的能力，可以用遙控終端機去查書目資料及查證工作；也可以製報表，發通知及其他採購文件❷。

五、Universal Library System 所發展的 ULYSIS 軟體成品是用 BASIC Plus 程式語言所寫的，用在迪吉多 PDP-11/70 迷你電腦或 VAX 11/730 到 780 號機具上，有出納、線上目錄及文書信件的功能，亦可建立社區資料檔(Community Information File)。現正在發展採訪、預約影片和期刊控制的單元。所適用之 VAX 機具有十二 MB 之主記憶體，另可貯存 4096 MB 到磁碟裡去，亦可與一百台終端機連線。已可與 OCLC 交換，正研究與 UTLAS 及 WLN 交換中❷。

六、BASIS TECHLIB 是美國應用科學研究機構 Battelle 所研訂資料管理系統中有關圖書館自動化的一部份。全套的 BASIS 涵蓋人事、檔案、計劃管理、訴訟控制、研究應用圖書館自動化各管理系統。有關圖書館自動化部份是在專門圖書館協會 1983 年年會上公佈的。具備下列各功能❷：

(1)採訪

(2)編目

(3)流通（出納）

(4)公用目錄

會計及期刊管理部份尚在開發中。可運用到各種電腦設備上，如迪吉多的 10，20，和 VAX 系統，IBM 370,4300,

CDC, UNIVAC 以及王安公司 VS 系統上。 最佳的特點是可對報紙做全文之檢索，關鍵字及主題檢索。

七、CL Systems（ LIBS 100 ）： 1971 年即開始發展。首先問世的是採訪系統，後來開發出流通系統，期刊管理系統正在研究中，可裝置在迪吉多公司 PDP 11/23 電腦上提供以下之服務㉕：

(1)視聽資料之預約

(2)編目

(3)流通——用雷射掃描器做出納工作

(4)會計

(5)公用目錄——（有權威檔的功能）

八、GEAC（ GEAC Library Information System/GLIS）公司成立於 1971 年，到 1977 年即發展出 GEAC 8000 系統來處理龐大的資料。運用其自產機具，可進行以下之自動化作業㉖：

(1)視聽資料之預約

(2)編目

(3)流通

(4)會計及帳目製作

(5)公用目錄

(6)期刊管理

現正研究如何與 FAXON 公司 LINX 資訊網連線。

九、美國國立醫學圖書館（ ILS ）

Integrated Library System 美國醫學圖書館的統整圖書館系統是以單元統整的方式設計的。每一個單元可以獨立，而併在一齊時又是一套完整之系統。可運用在Data General 和迪吉多公司的電腦上做下列工作❷：

(1)書目控制

(2)書目檢索

(3)流通

(4)期刊管理

(5)行政報表之工作

十、維吉里亞大學資訊系統VTLS：是維吉里亞州之科技學院(Virginia Polytechnic Institute and State University) 首先使用之圖書館系統，後來發展成一全州多種圖書館可合用之系統，運用在Hewlett-Packard HP 3000 號電腦上，具有下列功能❷：

(1)編目

(2)流通

(3)公用目錄

採訪、預約視聽資料、行政報表、經費控制、指定參考書管理及期刊管理各分支系統尚在設計中。富彈性之多元輸入方式是此系統之優點。

(三)資　料：

所有的資料包括文字、數字、標點符號或其他符號都以字元來代表，而每一字元是用 1 或 0 代表，所有文字都須轉變爲機器所能辨認的機讀資料。

一、資料之類型：

(1)原始資料（ Primary Information ）如出版商地址、統計、借書人的檔案、圖書預算單、雜誌、研究報告等。

(2)二手資料（ Secondary Information ）包括卡片目錄、期刊索引及書目等，他們是攝取資料的途徑。

二、資料之單位：

一群相關的資料組成的單元稱爲記錄（Records)如書目卡片，借書證及出納資料。多數的資料組成檔案（ File ）如目錄、讀者檔案、出納檔案等。多種資料檔案組成資料庫。將資料整理歸類成一段段者稱爲欄(Fields)亦有人稱之爲資料單元(Data Elements ）。欄又分爲兩種：

(1)定長欄（ Fixed Length ）——固定長度者如國際標準圖書號碼及中央圖書館卡片號碼；

(2)變長欄（ Variable Length ）——隨資料之多寡而定如作者的姓名、書名、標題、出版項等。

其層次見資料結構圖。

三、資料之組織法：

(1)順序組織法（ Sequential Organization ）又稱平面組織法（ Flat Organization ）—— 一長串的記錄，按次

序而來——有按日期、按數字或按字順序而組織的。

(2)逆序組織法（ Inverted File ）——主要檔案中記錄的
第一欄用來作位置之指標,如作者的姓名、出版日期或關
鍵字都是一個索引名詞,即先有一索引檔案,而後由此
索引檔再查到有關之記錄。

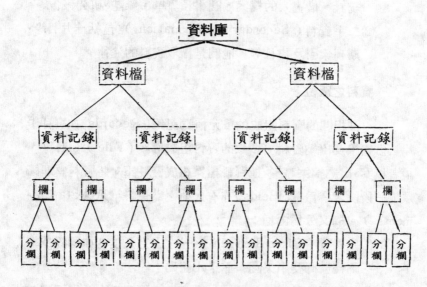

圖 3　　資料結構圖

第四章
圖書館自動化之標準

- 資訊交換碼
- 機讀編目格式

第四章

圖書館自動化之標準

　　圖書館的各種業務的要點是求一致化。要求一致化就要涉及標準，標準是圖書館最重要的執行依據和準繩。自動化作業更須有一定的格式來遵循，才能獲資訊的共享的效益。本章所討論到的是圖書館自動化作業最基本的兩種標準：

　　一資訊交換碼（Code for Information Interchange）

　　二機讀編目格式（Machine Readable Cataloging Format）簡稱（MARC）。

壹、資訊交換碼：

　　資訊交換碼是便利電子計算機處理資料，以達到交流交換和共享最重要的工具。以下說明有關國際標準之規格及常用的資訊交換碼：

一國際資訊交換碼標準規格：

　　每個國家大都有處理資料的資訊碼，但為了國際通用，國際標準局（International Standard Organization）訂定了一些編碼的規格如：

　　1.國際標準局646標準：即規定以七個數元為一組，以代表一個字母或符號，具備四個要點㉙：

⑴七個數元的編碼有一百廿八種組合（ $2^7 = 128$ ） 有
一百廿八個編碼 " 位置 " 。

⑵此一百廿八個位置中有位於 0 行及 1 行的卅二個控制
符號。

⑶此一百廿八個位置中，在 2/0 的位置處有 " 空位 "
（ Space ）符號及 7/15 位置的 " 刪除 " （ Delete ）
符號。

⑷用於文字、數字及其他特殊符號共有九十六個位置。

2.國際標準局 2022：爲了要容納一些操作之控制符號，
增加運作起見，特擬訂此 " 延伸編碼 " 的技術和 " 對應
順序編碼 " （ Escape Sequence,ESC ）識別位置的方
法⑳。

二處理西文資料之標準資訊交換碼：

1.美國國家標準資訊交換碼（ American Standard Code
for Information Interchange ）簡稱ASCII：以七
個 " 位(數)元 " 編碼爲基礎，但實際上附有第八個位元㉛。

2.增訂二進制十進位交換碼（ Extended Binary Coded
Decimal Interchange Code ）簡稱EBCDIC：用八個
位元來代表每一字元㉜。

下表舉例列出兩種標準代表文字之位元配置：（見下頁）

前者是美國國家所訂的資訊碼，後者是國際事務機器公司
IBM所使用的編碼結構，應用也很廣泛。

字母	美國國家標準資訊交換碼	增 訂 二 進 制
A	1000001	11000001
B	1000010	11000010
C	1000011	11000011
D	1000100	11000100
E	1000101	11000101

三.處理中文之標準資訊碼：

1.中文資訊交換碼（Chinese Character Code for Information Interchange）是根據 ISO 646 標準規定的七個「位元」來作編碼基礎，採用三組七個「位元組合」來表示一個中國字亦即每個中國字由二一位元組成亦根據 ISO 2022 中延伸編碼的技術和「對應順序編碼」（Escape Sequence, ESC）識別位置的方法來設計一個具有三度空間 94×94×94 個位置的編碼結構有九十四層（Plane）的空間，每層有九十四段，每段有九十四編碼位置（如下圖）。其間可含所有其他國家之交換碼。可容納五萬個以上的中國文字編碼之用。目前完成的中文資訊交換碼，計有二百一十四個部首，三十五個中文標點符號，四十一個中文數字符號，卅七個注音符號及四個調號，四千八百零七個最常用的中國字，一萬七千零七十七次常用的中國字及一萬一千六百六十個最常用或次常用的異體字❸。

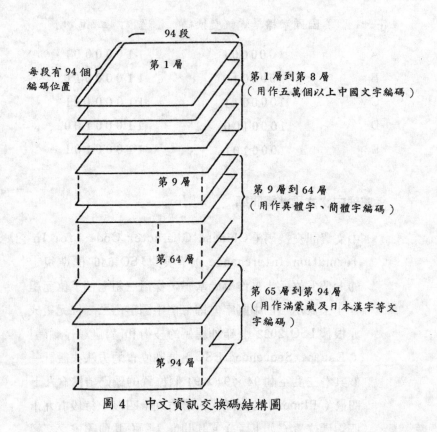

圖4　中文資訊交換碼結構圖

2. 美國研究圖書館資訊網亞東字集交換碼RLIN(East Asian Character Code)簡稱REACC，以上述中文資訊交換碼的架構爲基礎。就是三個位元組處理中、日、韓文的資訊碼，其中包括中文資訊交換碼第一册中之四千八百零七個最常用的字，第二册一萬七千零七十七次常用字中之五千字及異體字一萬一千六百六十中之三千個字。另補納入者是中共出版的（Code of Chinese Graphic Character Set for Information Interchange Primary Set（GB 2312-80）之六千七百六十三個字及日本工業用資訊碼 Code of the Japanese Graphic Character Set for Information Interchange：Japanese Industrial Standard JIS C6226 之六千三百四十九個字。此交換碼已由美國國會圖書館出版。配合美國機讀編目格式使用，成爲標準 ❸❹。

貳　機讀編目格式（Machine Readable Cataloging Format）：

機讀編目格式是一種組織書目資料的規格，也是一種促使資訊結構化的規則，均按國際標準組織所頒佈 2709 標準的原則所制訂的 ❸❺。

每一個國家都有其國家所按 ISO 2709 標準所訂的國家性機讀編目格式。如澳洲的 AUS／MARC，加拿大機讀編目格式（CAN／MARC）英國機讀編目格式（UK／MARC）等等。

一、美國機讀編目格式：

首先領先擬訂的是美國國會圖書館的美國國會圖書館機讀編目格式（Library of Congress Machine Readable Cataloging Format 簡稱 LCMARC）❸❻ 後稱 US MARC，對圖書館自動化的影響甚遠，有各種資料之機讀編目格式。經過多次的修正，現統整爲二種：

1. 權威檔之機讀編目格式（Authorities：MARC Format）

0──控制欄、識別及分類號

1──標目（Heading）

2───一般見註（See reference）

3───一般參見註（General see also reference）

4──追尋項中之見註（See from tracings）

5──追尋項中之參見註（See also from tracings）

6───處理決定，附註及編目員之註（Treatment decisions, notes, cataloger-generated references）

7──未定（Not defined）

8──未定（Not defined）

9──保留項（Reserved for local implementation）

2. 書目資料機讀編目格式（The MARC Formats for Bibliographic Data）（MFBD）

此機讀編目格式適用於各種資料──圖書、影片、手稿、地圖、音樂及期刊，其他記錄含三部分：

(1)記錄結構（Record Structure）

(2)內容標示（Content Designator）

(3)記錄內容（Data Content of the Record）

以上記錄由下列方式組織：

(1)記錄首部（Leader）

(2)指引（Record Directory）

(3)欄（Variable Fields）含控制欄（Control Field）
及資料欄（Data Field），均以十個功能段(Func-
tional Block） 三位數之欄號表示如下：

0——控制欄、識別及分類號

1——主要款目

2——書目項（書名、版本、出版項）

3——稽核項（Physical description）

4——叢書註（Series statements）

5——註（Notes）

6——標題等副款目（Subject added entries）

7——除標題及叢書等副之款目（Added entries
other than subject and series）

8——叢書註副款目（Series added entries）

9——保留項（Reserved for local imple-
mentation）

二、國際機讀編目格式（UNIMARC）：

1977 年國際圖書館聯盟出版此格式，以便國際上之書目
資訊均可以交換。基本結構分爲三大部份[37]：

1. 記錄標示（Record Label）

包括：

(1)記錄長度（Record length）

(2)記錄類型（Record type）

(3)執行代碼（Implementation code）

(4)指標長度（Indicator length）

(5)分欄識別長度（Subfield identifier length）

(6)資料登記開始位置（Base address of data）

(7)記錄補釋（Additional record definition）

(8)指引格局（Directory map）

此八項資料均爲固定長度（Fixed length）其所据的位數（Number of characters）及位址（Character position）如下圖：

記錄長度	記錄性質	執行代碼	指標長度	分欄識別長度	資料基位
0 — 4	5	6 — 9	10	11	12 — 16

記錄補釋	指 引 格 局		
	欄長位數	首字位址	未　　定
17 — 19	20	21	22 — 23

圖 5-1　國際機讀編目格式——記錄標示

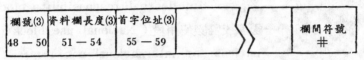

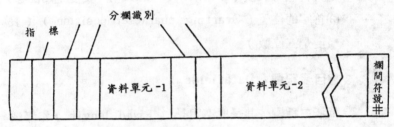

圖 5-2　國際機讀編目格式——指引

圖 5-3　國際機讀編目格式——書目登記欄

2 指　引 (Directory)

此部份是機讀目錄的 " 目次 "，包括：

(1)欄號 (Tag) (長度是三位數)

0 —— 識別段 (Identification block) ：包括識別
該資料的數字亦即控制號 如國際標準圖書號碼
(ISBN) 或國際標準叢刊號碼 (ISSN) 。

1 —— 代號資料段 (Coded information block)

2 —— 著錄段 (Descriptive block)

3 —— 附註段 (Notes block)

　　　4──連接款目段（ Linking entry block ）

　　　5──相關題名段（ Related title block ）

　　　6──主題分析段（ Subject analysis block ）

　　　7──著者段（ Intellectual responsibility block ）

　　　8──國家或國際使用段（ National use block for national or international use ）

　　　9──未定段（ Undefined block ）

　(2)資料欄的長度（ Length of data ）（長度是四位數）

　(3)首字的位置（ Starting character position ）（長度是五位數）

3. 書目登記欄（ Datafields ）

包括三種欄，其長度有定長 （ Fixed length ）和變長（ Varied length ），每一登記欄後都加欄間符號（ Field separator ）：

(1)記錄識別欄（ Record identifier ）（ 以欄號（ Tag ）代表之 ）

(2)保留欄（ Reserved fields ）（ 以 002-009 欄號代表之 ）

(3)書目欄（ Bibliographic fields 以 010-999 欄號代表之 ）

每一個書目欄含指標（ Indicator ），資料（ Data ）及欄間符號（ Field separator ）。

三、中國機讀編目格式(Chinese MARC Format):

全國圖書館自動化規劃委員會於 1980 年 5 月開始組織中國機讀編目格式工作小組，進行研究適用於處理中文資料之機讀編目格式。基本原則是建立在UNIMARC 上。因爲國內特殊情形，在欄號方面所改變如下 ❸：

1. 在 200，225 及 5XX 欄下加分欄識別號 $r，以便處理羅馬字的書名叢刊名及異名。

2. 215 和 255 欄中未用之指標，給予新的用途。

3. 在 3XX 欄下加分欄識別號 $u，以便利用中國圖書館編目規則之圖書館來作註釋。

4. 432，433，442，443，520 這些欄不予使用。

5. 501 總集劃一書名及 503（劃一習用標目）兩欄，在中國機讀編目格式裡均未採用。

6. 在 600，700，702，710 欄下，加分欄識別號 $s，以便作著者朝代之說明。

7. 用 700-722 欄來記錄中文名字。

8. 增加770-792欄，來記錄羅馬字的名字及翻譯作品的原名。

9. 805 欄下增加分欄識別號 $a 單位代碼；$b次層單位代碼。

10. 125 欄下增加中國曲譜及中國樂器。

11. 增加 005 欄號，用以代表本地系統控制號。

12. 增加 042 欄號，用以代表審查機構。

13. 增加 050 欄號，用以代表國立中央圖書館卡片號碼。

14.增加 129 欄號，用以代表拓片。

15.增加 316 說明中國書籍的卷。

16.用 608 欄號來說明善本書輔助的檢索項。

17.用 681 欄號代表中國圖書分類法。

18.用 682 欄號代表農業資料中心分類法。

19.用 686 欄號代表美國國立醫學圖書館分類法。

20.用 687 欄號代表美國國立農業圖書館分類法。

第五章

圖書館自動化之採訪與編目作業

- 採訪
- 編目

第五章

圖書館自動化之採訪與編目作業

壹、採 訪:

良好的採訪系統應含二部份:

一訂購控制:

(1)有發訂單、催書單、查詢函及取消訂單的能力。

(2)可與各種書目資料庫相通,查證資料之正確性,其中包括書目資料、價格、及是否尚可買得到之能力。

(3)可先查證是否圖書館已有該書或已訂購之能力。

(4)有建立"擬購檔"及以後"再訂購檔"之能力。

(5)有維持"出版商檔案"的能力。

(6)有維持"訂購中"檔案的能力,可隨時用各種方式查檢某書是否已到館?或查出未到館者予以催索。

(7)自動告知某書應予催索。

(8)可提供初步編目資料供編目時使用,只要提供一次書目資料備用。

(9)可為讀者提供"訂購中"書目、專題選粹的服務SDI（Selective Dissemination of Information）及新知通報（Current Awareness）的能力。

⑽可提供各種分支檔案如贈書檔、急購檔（ Rush Order ）
或特藏檔（ Special Collection ）。

二、**經費控制：**

⑴以部門、分館、資料型態或預算等項目來提供預算資料。

⑵有保留款項及重列款項的能力，凡某書已訂購，該款即
保留下而備支出，某書訂單的取消時，該保留款即被重
列到可用款內。

⑶有收到書後通知付款的能力。

⑷有準備付款單及開支票能力。

⑸有記錄各組、各分館用款數字、日期、餘款以及需用款
之能力。

換言之，理想系統是具備下述各項能力：

可與書目資料庫相通，有出版（書）商名錄和地址，可寫發
訂單以線上訂書，有＂處理中＂檔案。可催書、點收、付款、
製會計報表、并可提供一切管理上的資料 ❸。

圖書採訪自動化最顯著的益處是：

⑴評鑑館藏如美國研究圖書館資訊網即可提供某冊書為各館
收藏的情形，以其 Conspectus Online 的系統，各館可與
之比較，達成評鑑館藏或聯合採訪的目的。

⑵催促未到之書及正處理中之書籍，可與線上書目資料庫相
連，而讓讀者得悉該訂購書目前的狀況。

OCLC 之採訪副系統（ Acquisition Sub-system ） 亦由編
目系統中發展出來，用同樣的書目資料可以進行合作採購，評鑑
館藏、發訂單、發催書單以及其他相關行政計劃等作業 ❹。

貳、編　目:

運用電腦來處理編目工作，有下列三種情形:

一運用機讀編目資料來發展或改變各圖書館之編目資料。

　1966年，美國國會圖書館初次提供機讀式目錄格式，後經改變為MARC II 格式，經美國國家標準局核為標準，發行磁帶供其他圖書館利用。繼MARC之發展有下列相關計劃:

(1)RECON（Retrospective Conversion）:將1968-69年以前美國國會圖書館藏書之目錄改變成機讀目錄資料。此舉最大的功效在於其發展的"認識格式"（Format Recognition）的功能，用軟體來認出各書目款目，自動做草片。

(2)REMARC:上述計劃擬將過去之資料轉成機讀式的，但因數量多而成績不如理想，致而發包給Carrolleton Press將1897到1980年間美國國會圖書館之編目卡片轉換成機讀資料，與國會圖書館機讀資料合併，成為含七百萬種資料之龐大的資料庫。

(3)COMARC：1970年代指定若干資訊網及圖書館提供他們的藏書目錄，輸入國會圖書館之機讀資料庫，後因經費問題而停止，但對資料庫內涵而言甚有助益 ❹ 。

二書目供用中心（Bibliographic Utilities） 提供之合作編目：各圖書館參加為會員共用編目系統 ❷ 。

(1)OCLC（On-line Computer Library Center 原名為

Ohio College Library Center)，1969 年開始提供線
上或書本式聯合編目之服務，共同與俄州之大學圖書館
合作編目，除了線上作業對外，尙提供編目卡片服務。

(2)美國硏究圖書館資訊網Research Libraries Informa-
tion Network 原名是 BALLOTS（Bibliographic
Automation of Large Library Operation Using
Time-sharing System）：開始於 1972 年，是史丹福
大學內部之編目查索系統，後爲 Research Libraries
Group 所接收，成爲廿五個硏究圖書館之書目中心，改
稱現名（簡稱RLIN)，有主題檢索之能力。

(3)華盛頓州的西部圖書館資訊網(Western Library Net-
work 簡稱 WLN)：1978年開始之資訊網，原名爲華盛
頓圖書館資訊網（Washington Library Network）
提供機讀編目服務。

(4)多倫多大學圖書館自動化系統University of Toronto
Library Automation System（簡稱UTLAS） 創始
於 1973 年提供機讀編目服務。

美國書目供用中心亦提供中、日、韓文編目系統：

一、俄亥俄資訊網資料庫中、日、韓文部份：OCLC 的
CJK Program在 1987年初開始提供中、日、韓系統，
與總機連線設備及功能如下❹：

1. IBM個人電腦作爲輸入及輸出設備。

2. 終端機可一次顯示十七行字。

3. 印表機可印螢幕上顯示之畫面及目錄卡片。

資料庫中現存放各會員圖書館輸入之資料。University of Illinois 提供的中日韓文磁帶，有紐約公共圖書館及國會圖書館資料約四至五萬筆，尚無期刊。資料輸入之方式有五種：倉頡法、拼音（中文）、威傑士羅馬拼音法（Wade - Giles）（中文）、Hepbura 修正版（日文）及McCane - Rerschanet （韓文），倉頡法是用碼來作字形的輸入。其他的方法都是根據發音去輸入。檢索時有二種方式：

1. 用號碼（美國國會圖書館卡片號碼、國際標準圖書號碼、國際標準叢刊號碼、期刊代碼）。

2. 用組合之中、日、韓文。要先表示出是書名，然後用書名裡的一、二、三、四、或五個字來檢索。

二、美國研究圖書館資訊網(Research Libraries Information-tion Network)自 1983 年開始其中、日、韓文書目資料庫。參加資訊網的圖書館具備下列的機具㊹：

1. 微電腦系統：傳技電腦公司生產之中華壹號（ Sino-term），有 256 KB 記憶體，1 MB Winchester Disk 和 1 MB Floppy Disk 存一萬陸仟個字的字典。

2. 終端機：螢幕上可顯示 25 行字， 每行包括四十個中日韓文或八十個西文字，鍵盤上有 179 個鍵，123 個中文部首，51 個日文字，33 個韓文字， 49 個羅馬字和符號。

3. 印表機：只印銀幕上顯示的資料，不印卡片。

中、日、韓文書目資料庫裡有二十五萬筆資料，期刊庫內有六千種期刊的記錄，提供兩種索引：

1. 總索引（ General Index ）——可查出所有的記錄。

2. 館藏索引（ Local Index ）——可查出本館記錄，可用羅馬字或中日韓文查資料。每一筆資料可有六種格式顯示，由多而簡，亦有顯示國會圖書館卡片格式的。中日韓文字之輸入是由字的組合而成，其有三萬五千個記錄的辭彙（ 索引典 ）及羅馬字的權威檔。

三由電腦或縮影作業提供之目錄或卡片：

(1)孔姆（ Computer Output Microfilm簡稱COM ）：以各式縮影影片、捲片、匣、或平片將資料貯存，用閱讀機查閱館藏。雖然省空間，便查索，易爲各分館用來做聯合目錄，但是所藏資料永遠趕不上實際館藏資料，更新方面有困難。

(2)線上目錄（ On - line Catalog ）：開始時，此種目錄只是爲編目人員做輸入和修正資料用。後來逐漸開放給參考服務人員及讀者使用。OCLC , WLN, RLIN , UTLAS 及國會圖書館機讀式目錄都可用爲線上目錄。開放給讀者使用的線上目錄稱爲公用目錄 OPAC（ Public Access Catalog ），其特點是要求便於使用（ User-friendly ） 及主題檢索的能力 （ Subject Searching ）。

(3)電腦印刷之編目片：圖書館使用機讀式編目資料訂購卡片時，有些書目供用中心可按該館的需求用電腦線下作業，印出卡片，分好組，寄交訂購之圖書館使用。

第六章

圖書館自動化出納制度、
期刊管理與行政作業

- 出納制度
- 期刊管理
- 行政作業

第六章

圖書館自動化出納制度、期刊管理與行政作業

壹、出納制度(Automated Circulation):

　　流通(出納)制度通常是爲圖書館首先想到要自動化的作業，它的流程和一般商業界的應用很相像，也較單純，很容易爲電腦來處理，必須有下列三項資料：

(1)借書人

(2)出借的書

(3)借期

自動化出納作業應有下列功能：

(1)應有一最完整之借書人檔案，以便查出此人可否借書?此人有沒有借了書未還的情形?

(2)應有一最完整清單，以便用書名、作者名、索書號、主題或國際標準圖書號碼查出某本書現在何處?

(3)應可便捷地增減新入藏、除架或遺失的書籍。

(4)應可便捷地決定某書能流通的期限。

(5)應有借出圖書之檔案，以便進行下列工作項：

(a)在書還來時，應發出信息告知此書是否過期?罰款若干?是否有其他讀者要借此書?

(b)應可查出此書現在的情況。

(c)應可便捷地進行借書，還書及查算逾期的手續。

(d)應可自動印出催書單。

(e)應可提供各種統計數字，包括罰款數，借書數量，借書人數，逾期情況，利用館藏（如主題，資料型態及時間等）的情形以及每一天內借出的情況。

以上統計資料均有助於館藏的評鑑、除架與發展館藏。流通自動化作業根據的書目資料有二種：

　　(A)只有借出的書目資料

　　(B)全部館藏書目資料

目前為效率起見，均認為第一種較省時間及電腦之記憶空間。

在未用電腦以前，圖書館流通這個工作已經用機器來處理，有照像出納機來記錄借出的人，借出的書，借期等。1936到1970年間，用電腦分批處理的方式。七十年代中期就注意線上作業，發展出幾個軟體系統如下❹。

(1)DOBIS

(2)CLSI LIBS 100

(3)Data Phase Systems 設計的 Automated Library Information System（ALIS）

(4)ICL Incorporated 發展的CADMUS 系統

(5)Universal Library Systems 發展的ULYSIS

(6)GEAC Library Information System

(7)Ringgold Management Systems 發展的系統

(8)University of Toronto Library Automation System 發展的 Library Collection Management System(LCMS)

目前自動化出納制度用條碼、及光筆或光學辨認器來識別圖書之借出與歸還，亦可預約圖書、印到期單、催書函及計算罰款。最主要的檔案是書目檔。借書人名檔，預約書檔、罰款檔、及借出與歸還圖書檔。書目檔亦可以由書目供用中心之書目檔抄下來，可省時省事不少。

除此之外，書目供用中心的流通系統可提供館際互借的便利。

貳、期刊管理：

期刊是指連續性的刊物，有定期和不定期的。目前自動化期刊管理是兩方面：

(1)期刊的目錄控制

(2)個別期刊的行政管理

由於期刊之變化無窮，卷期，停刊，合刊，改名，改變價格等等種種情形不等，對自動化作業而言，是相當辣手的問題。到目前尚無一完善者❹。自動化期刊管理之最先一步是用國際標準叢刊號碼（ISSN）或期刊代碼（Coden）來做辨認期刊的號碼，其次是製作出一機讀式館藏期刊目錄。應可進行下列各項作業：

(1)作訂購和續購之控制。

(2)發訂單、催書單、詢問及裝訂等函件。

(3)驗收期刊、編目或更新目錄。

(4)裝訂控制。

(5)預算、經費之控制及會計工作。

(6)傳閱期刊之方法。

⑺建立遺失及被毀壞期刊之檔案，以便作補充之控制。

⑻借書手續。

⑼罰款。

由 DIALOG 和 BRS，我們可以用到 Bowker Serials Bibliography Data Base ，其中包括書目資料和訂購資料，也有杜威分類號和標題❹。

1970 年初期，聯合國文教組織及法國政府共同設立了一個 International Serial Data System（ISDS）及 International Center for Registration of Serials 負責將期刊變成機讀式，并負責指定國際標準叢刊號碼 ❹ 。 此中心與美國國會圖書館之 National Serial Data Program（NSDP）合作。Council on Library Resources 圖書館資源委員會成立了期刊變更計劃 CONSER（Conversion of Serials）將期刊按 LCMARC-S Format 利用明尼蘇達大學的期刊聯合目錄（Minnesota List of Serials MULS）作根據，發展出一龐大的機讀式期刊目錄，整理爲磁帶發售❹。

CONSER（Conversion of Serials）雖是國會圖書館，負責其"質"的控制，而實際上是由 OCLC 來主其事。此資料庫可演變成一全國期刊線上機讀目錄，供應收藏情形、權威檔控制及查索服務等。

自動化期刊管理系統甚多，茲列數例如下：

1. OCLC 書目供用中心提供期刊管理副系統，可以自動將驗收（Check-in）期刊之書目資料由 OCLC 線上作業的聯合目錄中轉到副系統中，可以線上檢索期刊資料，預測下期到館時間幷發催書單等。

2. California Library Authority for Systems & Services(CLASS) 爲中小型圖書館設計了一套期刊管理系統稱爲 Checkmate，運用美國國會圖書館的欄號來查出缺期之期刊。可用關鍵字及布爾邏輯查索期刊。

3. EBSCO 提供的 EBSCONET 有線上訂購，催書及續訂等功能。

4. F.W. Faxon 爲他服務的每一個圖書館提供驗收檔，包括館藏、刊出期刊的頻率、國際標準叢刊號碼、分類號碼、裝訂說明、索引摘要及代號、現期放置地點和裝訂情形，指示出將過期期刊上架地點及傳閱說明。 Faxon 亦提供一副系統查出那些期刊脫期，刊印出清單，由圖書館自行催索。

5. PHILSOM (Periodical Holding in Library — School of Medicine) 是 1963 年華盛頓大學所發展者 ，現已成爲小型資訊網，用線上存入書目資料，管理資料則以分批方式處理 ❺ 。

叁　行政作業:

自動化行政作業可謂是辦公室自動化之一。運用科技成品來作文字處理（ Word Processing ） 的工作及作計算與管理工作（ Management Information System ）。無論是單獨的一套系統，或是微電腦系統的一部份，或是分享時間之系統均有下列的效益:

(1)有編輯內容及建立格式（Editing and Formating）的能力：

　(A)可作對左或對右或居中格式的處理。

　(B)有移動、插入、刪除、替代及改換次序的功能。

　(C)有自動查證拼字錯誤之功能。

　(D)有自動編頁碼的能力。

　(E)自動重覆打標題、作者及篇名的能力。

(2)將其他檔案中之資料插入文件。

(3)有檔案處理的能力——可索引及檢索檔案。

(4)有統計資料及將數字資料改成百分比、平均數或以圖案表示之能力。

(5)有製作報表的能力。

(6)有電子郵件（Electronic Mail）之能力。

(7)有運用電腦及電話舉行會議之能力（Computer Teleconference）❺。

第七章

圖書館自動化參考服務

· 自動化參考服務的種類
· 自動化參考服務的機構
· 資料庫
· 電腦編製參考資料

第七章
圖書館自動化參考服務

壹、自動化參考服務的種類：

一、提供答案和資料❷：

1. 事實
2. 查檢資料的來源

二、編製參考資料❸：

貳、自動化參考服務的機構：

自動化參考服務通常是由圖書館在三大資訊服務公司提供的機讀式資料庫裡檢索資料。這三大服務公司爲❹：

一、Lockheed Missiles and Space Company 的 DIALOG Information Service 運用 DIALOG 軟體來檢索資料。

二、SDC Search Service ：原爲 System Development Corporation 所有現由 Burroughs Corporation 接管，用 ORBIT 軟體來查資料。

三、Bibliographic Retrieval Service 是 Information Hand-

ling Services 的一部份，用BRS／Search 軟體（是依
IBM Stairs 軟體爲基礎的）。

另外有美國國立醫學圖書館和紐約時報也可直接向圖書館
提供他們自製資料庫和服務。

叁、資料庫：

透過資訊服務公司可攝取到：

一、書目資料

二、非書目資料（包括全文、名錄、手册、數字及統計資料等）

一、書目資料庫（Bibliographic Data Base）：這些資料庫
是指示性質的，除了提供書目資料外，有些也提供摘要❺。

1. **綜合性**：

　　(1)如美國國會圖書館之MARC，REMARC 等。

　　(2)Books in Print（現版書目）R.R. Bowker 製作

　　(3)CIS（美國國會出版品索引）（ Index to Pub-
　　　　lications of the U.S. Congress ）

　　(4)Conference Papers Index（會議論文索引）Cam-
　　　　bridge Scientific Abstracts 製作

　　(5)Comprehensive Dissertation Index（論文索引）
　　　　University Microfilms International 製作

　　(6)Magazine Index（雜誌索引）

　　(7)Monthly Catalog of U.S. Government Publica-
　　　　tions 美國政府出版品目錄

⑻National　Newspaper　Index（新聞）

⑼New York Times　Information Bank（新聞）

⑽Newsearch（新聞）

⑾Newspaper　Index - Bell　and　Howell 製作（新聞）

2. 科技類：

Aquaculture - National　Oceanic　and　Atmospheric
Administration 製作（海洋學）

Aqualine - Water　Research　Center 製作（海洋學）

Aquatic　Sciences & Fisheries　Abstracts（海洋學和
水產）

❖BIOSIS　Previews - BioSciences　Information　Service 製作（生物學）

❖CA　Search - Chemical　Abstracts　Service 製作（化學）

Geoarchiv - Geosystems（地質學）

Georef - American　Geological　Society 製作（地質學）

❖NTIS - National　Technical　Information　Service（
科技）

Oceanic　Abstracts - Cambridge　Scientific　Abstracts 製作（海洋學）

Spin（Searchable　Physics　Information Notices -
American　Institute　of　Physics 製作（物理學）

Water　Resources　Abstracts - U.S. Dept. of Interior 內政部製作（水產）

3. 應用科技類：

Agricola- National Library of Agriculture 製作(
農業)

CAB Abstracts - Commonwealth Agricultural
Bureaux 製作(農業)

Excerpta Medica (醫藥)

Food Science and Technology Abstracts- Interna-
tional Food Information Service 製作(食品)

Foods Adlbra- Komp Information Services 製作
(食品)

❖Medlars-Medline- National Library of Medicine製
作(醫學)

Pharmaceutical News Index- Data Courier 製作
(藥學)

Pestdoc- Derwent Publication 製作(農化)

Ringdoc- Derwent Publication 製作(藥學)

Vetdoc (獸醫資料)

4. 工程類:

Apilit Apipat- American Petroleum Institute 製作
(石油)

BHRA Fluid Engineering- British Hydromechanics
(工程)

Compendex- Engineering Information Inc. 製作
Research Association 製作(液體工程)

DOE Energy-U.S. Dept. of Energy 製作(能學)

Energyline - Environment Information Center, Inc.
製作（環境工程）

Enviroline - Environment Information Center, Inc.
製作（環境工程）

Environmental Bibliography - Environmental
Studies Institute 製作（環境科學）

ISMEC - Cambridge Scientific Abstracts 製作（機
械工程學）

INSPEC - Institution of Electrical Engineers 製
作（物理、電機及電腦工程）

Metadex - American Society for Metals 製作（金
屬）

Nonferrous Metals Abstracts - British Non - Ferrous Metals Technology Center 製作（非鐵金屬）

Petroleum Abstracts - University of Tulsa 製作
（石油）

Pollution Abstracts - Cambridge Scientific
Abstracts（污染）

Rapra Abstracts - Rubber and Plastics Research
Association of Great Britain 製作（塑膠）

SAE Abstracts - Society of Automotive Engineers
製作（自動車）

Safety Science Abstracts - Cambridge Scientific
Abstracts

Surface Coatings Abstracts - Paint Research Association of Great Britain 製作

Weldasearch - Welding Institute 製作

World Aluminum Abstracts - American Society for Metals 製作（鋁業）

5. 社會科學類：

ABI／Inform - Data Courier

AIM／ARM - Center for Vocational Education 製作（職教）

ASI Data Base - Congressional Information Serv--ice 製作（統計）

Canadian Business Periodical Index - Information Access of Toronto 製作（商業）

Child Abuse and Neglect - National Center for Child Abuse and Neglect 編製（幼教）

Criminal Justice Periodical Index - University Microfilm International 編製（法律）

Economics Abstracts International - Learned Information 編製（經濟）

✦ ERIC - Educational Resources Information Center 編製（教育）

Exceptional Child Education Resources - Council for Exceptional Children 編製（特教）

Harfax Industry Information Sources - Harper &

Row 編製（工業）

Information Access （法律）

Insurance Abstracts - University Microfilms International 編製（保險）

Language and Language Behavior Abstracts- Sociological Abstracts Inc. 編製（語文教育）

Legal Resources Index （法律）

LEXIS - Mead Data Center 編製（法律）

Management Contents （管理學）

Mental Health Abstracts - National Clearing House for Mental Health 編製（心理）

NCJRS - National Criminal Justice Reference Service 編製（法律）

NICSEM／NIMIS - National Information Center for Special Educational Materials 編製(特教)

Population Bibliography- University of North Carolina 編製（人口）

❖ PSYCINFO - American Psychological Association 編製（心理）

Social Scisearch - Institute for Scientific Information 編製（社會科學）

Sociological Abstracts- Sociological Abstracts Inc. 編製（社會學）

Standard & Poors News （工商業）

Trade and Industry Index- Information Access
Corp. 編製（商業及貿易）

U.S. Political Science Documents- Center for
International Studies, University of Pittsburgh
編製（政治）

World Affairs Report- California Institute of
International Affairs 編製（新聞）

6. 人文科學類：

America : History and Life（歷史）

Artbibliographies Modern（藝術）

Historical Abstracts- ABC Clio 製作（歷史）

LISA（Library and Information Science Abs-
tracts）:Library Association 製作(圖書館學與資
訊科學)

MLA Bibliography : Modern Language Association
製作（音樂）

Philosopher's Index- Philosophy Documentation
Center 製作（哲學）

RILM Abstract : City University of New York
製作（文學）

✤ 為最普遍被使用的資料庫

二非書目型資料庫，這些資料庫是提供資料的本身，分為兩
種：

1.全文性：含參考性全體說明文字，如字典百科全書類和
名錄類。下列爲著名者：

(1)Arete Publications 的美國學術百科全書

(2)Career Placement Registry（列一萬名大學四年
　　級學生及新畢業生求職資料）

(3)CATFAX（郵購資料）

(4)Chemname, Chemsearch, Chemsis（化學品記號、
　　化學公式、同義字等）

(5)EIS Industrial Plants（提供美國十五萬家工廠
　　名錄）

(6)Foreign Trader Index（外國出口商）

(7)Foundation Directory（基金會名錄）

(8)Foundation Grants Index（列 400 美國捐款單位
　　之資料）

(9)Gale Research Company Encyclopedia of Asso-
　　ciations. Biography Master Index

(10)Grant Database（列 1,500 公私立基金會及捐款單位）

(11)International Software Directory（電腦軟體名錄）

(12)LEXIS 的大英百科全書

(13)National Foundations 列小型基金會

(14)OCLC Project 2000 的 Academic American En-
　　cyclopedia 的大美百科全書

(15)SSIE Current Research（列政府或私人支援之研
　　究報告

⒃Trade Opportunities（出口商資料）

⒄U.S. Public School Directory（美國公立學校概況）

⒅World Book Encyclopedia（百科全書）等

2. 數字統計性資料庫：這些資料庫提供數字及統計資料，下列幾個是較著名者：

(1)BLS Consumer Price Index 包括消費品價格及有關之服務。

(2)BLS Employment, Hours and Earnings 提供生產勞工之工作時及收入等資料。

(3)BLS Producer Price Index 提供 2,800 種貨物批發價格。

(4)BLS Labor Force 提供美國勞工之社會與經濟資料。

(5)U.S. Export 提供美國外銷品之資料。

(6)Predicast Files 提供美國國內及國際上統計數字。

以上的資料庫也可以存在自己的電腦上操作使用，也有的是利用收費的檢索服務公司。有些公司是用一個或數個相關的資料庫，有些是提供各種類型資料庫檢索服務。前者通常是提供他們自己的資料庫如National Library of Medicine 國立醫學圖書館發展的Medline 檢索Medlars 資料庫。Institute for Scientific Information, New York Times Information Service 以及Mead Data Center 製作的法律資料庫LEXIS 等。後者有二者較著名的：一為H & R Block 公司的CompuServe ，一為讀者文摘Reader's Digest 的The Source 。這兩家公司都提供日常家庭商業和新聞資料。

　　圖書館經常採用的電腦輔助參考服務是DIALOG或ORBIT或BRS。運用電話線連線，地方遙遠的利用Telenet 或 Tymnet 這些衛星傳播網，除了初次裝線費外尚有電話費用。

　　資料服務的收費，以及每個資料庫的收費價格不一。一般圖書館要計劃投資五、六千元。每年再花二千到二千五百元來維護機具及訓練館員。用資料庫的時間稱為Connecting Time，只要一接上就算時間。每小時價格因資料服務公司收費標準不等而異。BRS收費方式稍不同，除了接連線路的時間外，每年還要付定額的會費。

　　線上檢索是提供專題選粹（ Selective Dissemination of Information)及新知通報服務（ Current Awareness ） 最好的方法。先在電腦中建立一個興趣檔（ Profile ），凡符合此檔之文件均存下，印發有關人士閱讀。

肆　電腦編製參考工具資料：

　　除了可以提供線上作業之服務外，圖書館經常需要編製館內特需的資料備參考 ， 除了可以用電腦文字處理機的功能來排印（Computer Formatted)資料，還可以自動製作（ Computer Generated ）資料。 在辦理此項工作時必須注意下列四單元：

　　(1)Boolean Logic （ 布爾邏輯：同時用 and, or 和 not 三種情形檢索資料 ）。

　　(2)訂關鍵語（ Key Words ）而製作辭彙或索引典（Thesaurus ）。

(3)決定索引之方式KWIC，KWOC，KWAC，PRECIS 或其他方法。

索引製作及排列之方式很多，但在美國常用的是文內關鍵字索引（Keyword In Context 簡稱KWIC），文外關鍵字索引（Keyword-Out-of-Context 簡稱 KWOC）及（Keyword and Context簡稱KWAC)關鍵字的索引法等。英國則常用前後文關係索引法（PRECIS）。

A. KWIC 是用三種方式製作❺❻。

    a. 非關鍵字彙（Stop list）確定關鍵字，將非關鍵字者輸入電腦，用電腦比較後，若沒有相同的，就是關鍵字，據以作索引。

    b. 編關鍵字彙（Go list）：將關鍵字輸入電腦，經電腦比較文章及關鍵字，凡有相同的，電腦就據之作索引。

    c. 人工標出欄號，使電腦辨別關鍵字。

    KWOC是爲省空間。將關鍵字提出來在文內有此字的位置用符號代替。

    KWAC是將關鍵字提出來，但文中的關鍵字幷不取消。

B. 前後文關係索引法（Preserved Context Index System 簡稱（PRECIS）❺❼是英國國家書目在1968年所創的索引辦法，原則是用電腦程式來製作"按字母排的主題款目"，預先將決定次序的一連串觀念放進去，幷把這些觀念之間的關係下明定義，主要目的是製作主題索引。此法，無論用那個字做款目，都可獲得完整主題的前組合主題索引(Pre-coordinated　index)，如：

Automatic　Computers,　Data　Processing,
　　Education Research
Digital Automatic Computers, Programming
　　　　　　　　　　　　　　　370.184
Ditigal Automatic Computers, Programming,
　　Bibliographies　　　　　016.370184
Automatic　Computers,　Data　Processing
　　Engineering　　　　　　　510.81
Automatic　Computers,　Data　Processing,
　　Management Bibliographies　016.058
Automatic Control
　　Statistical Mathematics, Random Process
　　　　　　　　　　　　　　　621.8

Automobiles
　　Cars, Engines Ford Engines　629.2222
　　Cars, Ford Cars　　　　　629.2222

(4)決定處理資料庫的管理系統 (Data Base　Management
　　System)例如：我國教育資料庫是用Total　Management
　　System，也有其他的資料庫用 IBM的 Stairs 。

第八章

圖書館自動化與館際合作和資訊網

- ·資訊網的定義
- ·資訊網的種類

第八章

圖書館自動化與館際合作和資訊網

圖書館自動化最大的效益是促進合作，減低成本及共享資源，尤以組成之資訊網最能臻其效益。

壹、資訊網的定義：

據美國國家圖書館及資訊科學委員會 National Commission on Libraries and Information Science（NC L I S）所給的定義 ⑤⑧：資訊網是爲了某種的功能性的目的，由二個以上的圖書館或其他交換資訊的機構連接而成資訊網。通常是以一個正式的安排，使一些不同的圖書館或組織的資料，資訊和服務藉此可以提供給潛在的利用者。不同一隸屬的圖書館同意提供同樣的服務。電腦和電傳是用來做交流的工具之一。換言之，資訊網就是設備和工具結合成傳佈資訊的整體。

傳遞資訊必須對格式、指令、及反應方式有所規定稱爲通訊協定（Protocol），常見的通訊協定有 IBM's System Network Architecture（SNA），Digital 的 Decnet，Prime Computer 的 Primenet 。有了通訊協定，資訊網之間才能發生交互作用。

貳、資訊網的種類：

一、依結構來分：

應用到圖書館界的資訊網約可分四類❺：

  1. 星型資訊網   3. 網狀資訊網

  2. 樹狀資訊網   4. 環狀資訊網

圖6 星形資訊圖   圖7 樹狀資訊圖

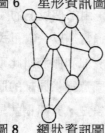

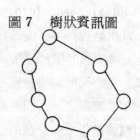

圖8 網狀資訊圖   圖9 環狀資訊圖

二、用同軸電線（Coaxial Cable）之公司來分：

同軸電線所織成之資訊網，每秒鐘可傳 56,000 bits 的資訊，以下製造公司除發展了它們自己的資訊網，也可用來與別家的硬體連接❻。

  1. Ethernet（Xerox, Digital 和 Intel 合作之成品）

  2. Znet（Exxon 附屬機構 Zilog 所發展）

3. Wangnet （王安公司之產品）及其他等。

三、依服務性質來分：

1. 共同編目(Shared Cataloging)：OCLC，RLIN，UTLAS
   及 WLN　即書目供用中心❻。

書目供應中心（Bibliographic Utilities）是用電腦設備
將書目資料存入作線上之服務。會員圖書館可利用已編好
書目資料根據自己的館藏修正爲一新記錄，亦可以提供該
館編目資料，收入資料庫後備他人使用。在北美方面書目
供用中心有四個。

(1)俄亥俄資訊網OCLC(Ohio College Library Center)：
   創於 1967 年，到 1981 年改名爲Online Computer Li-
   brary Center(俄亥俄電腦圖書館中心)，利用機讀式
   編目資料提供共同編目之服務，參加之圖書館已達六千
   餘個。由提供俄亥俄州大學圖書館的服務改進到國際性
   之服務。除了美國大學、公共、專門和學校圖書館是會
   員圖書館外，其他有許多國外的圖書館亦逐漸參加。
   OCLC之大本營在 Dublin, Ohio，主機是Xerox Sigma
   Corporation之產品，尚用若干迷你電腦來做電傳控制
   和資料庫處理等業務。有Beehive和Ramtek公司特製
   之終端機來顯示各種語言之資料。并可由此終端機就地
   印出書標，編目員用之草片等。會員圖書館可經電話線
   或OCLC專用租線和聯線設備利用到OCLC的資料。

(2)美國研究圖書館資訊網 RLIN（ Research Libraries

Information Network)：1978年自 BALLOTS
(Bibliographic Automation of Large Library
Operations Using a Time-sharing System)改名
而來，由史坦福大學創製之資訊網，原計畫是兼含書目資
料庫和百科資料庫。後由研究圖書館協會接管，事實上
只是書目資料庫，館際互借及採訪系統。主要的會員是
美國著名的研究圖書館，他們可以經過電話線或Tymnet
來使用此資料庫。所用機器是 I BM 3033，其他亦用迷
你電腦爲前端處理機（Front-end）來作通訊用。
會員圖書館可據自己館藏更改編目記錄，存在個別檔裏
，不影響原記錄。

除了可以作者、會議名、書名、國會圖書卡片號碼、國
際標準圖書號碼、國際標準叢刊號碼及期刊代號檢索外，
尚可用標題及關鍵字去檢索，檢索著者時亦無須縮寫，
直接用全名，但其他用字可予切裁，除了亞東資料外，
其他語文之資料亦提供卡片。

(3)華盛頓州西部圖書館資訊網WLN（Western Library
Network）是一個區域性的資訊網，主要服務對象是美
國西部，大部份是華盛頓州內的圖書館，州外圖書館只
有Arizona 州的Maricopa County Library, Alaska,
Idaho, Oregon 和Montana等州的幾個圖書館。它使用
ADABAS 資料庫管理系統使書目資料及權威檔可合而
爲一，同時會員圖書館輸入資料時必須先經WLN 查核
過，故而素質較佳。它也設計出一套軟體供個別圖書館

置在自己的機具上使用，有編目、採訪、期刊管理、館
際互借等系統，如澳洲國立圖書館、南部圖書館資料網
、依州大學圖書館及米蘇里大學圖書館。

此資料庫有很好的線上查詢能力，故而除了編書外，會員
圖書館也可用來回答參考問題。檢索作者資料時也是用
全名，除了提供卡片外，亦可提供書卡，書標及書本目
錄等。

(4)加拿大多倫多大學圖書館自動化系統UTLAS（University of Toronto Library Automation System）始於
1973 年，開放給北美的圖書館利用。其主機是 Xerox
及 Honeywell 的機器，可使用一般 ASCII 終端機另亦
提供一單獨轉鍵（Turnkey）之出納系統。會員亦可有自
己編目之記錄，形同線上公用目錄（On-line Catalog）
。但其他會員若要用他人的記錄，必須付版稅。

2. 共同出納制度如依里諾伊州的 Cooperative Library
System。

3. 館際互借服務：如 Illinois Library and Information
Network（Illinet），Five Associated University Libraries（FAUL），New York State Interlibrary Loan
（NYSILL）及 National Library of Medicine 等。

4. 線上參考服務：如 DIALOG，ORBIT，BRS
目前除了第四項外，書目供用中心可以提供採訪、共同編
目、館際互借和共同出納制度❽。

四、以組織或地區分：

1. 館際間之合作（Intralibrary Network）：總館與分館之
   合作。

2. 州（省）內間之合作（Intrastate Network）：在一州內
   之合作如WLN，NYSILL及Illinet。

3. 州（省）際間之合作（Interstate Network）：如美國國
   家館際互借法（National Interlibrary Code）所支持之
   活動，New England Library Information Network
   （NELINET）及Southeastern Library Network（SOLI-
   NET）提供OCLC之服務給各會員圖書館。

4. 全國合作（National Network）：如美國醫學圖書館及其
   他國家之國立圖書館。

5. 國際合作（International Network）：經過 Tymnet
   Telenet 傳播網提供書目及百科資料庫資料❻❸。

一個圖書館可以採幾種資訊合作型態，可以直接參加書目供
用中心，亦可以參加百科資料庫，也可以經過州內的資訊網參加其
他資訊網。究竟應參加何處得視效益與經費而定。區域性之資訊
網做為圖書館與 OCLC 之媒介，也有些提供更多的服務，包括電
腦輔助之參考服務、孔姆書目（COM）及館際互借等。玆舉例
如下❻❹：

1. 亞米可書目委員會（Amigos Bibliographic Council）在
   德州達勒市裝置OCLC系統，訓練人員，提供電腦輔助之
   參考服務孔姆書目及諮詢服務。會員包括Arizona, Arkan-

sas, Kansas, Louisana, New Mexico, Oklahoma, Texas, Mexico等州之大學公共及專門圖書館。

2. 落磯山脈區研究書目中心（Bibliographical Center for Research（BCR），Rocky Mountain Region)屬於 Colorado 丹佛市協助 OCLC 會員事宜。運用聯合卡片目錄及其他書目參考工具書經電傳提供館際互借服務。亦運用SDC, Lockheed, New York Times Information Bank 和BRS 提供線上檢索服務。會員包括 Colorado, Illinois,Iowa, Kansas, Missouri, Montana, Nebraska, Ohio, South Dakota, Utah, Virginia, Wyoming 等大學、公共和專門圖書館。

3. 加州圖書館系統與服務管理處（California Library Authority for System and Services（CLASS))位於加州 San Jose，主要是協調加州各圖書館書目及共享資源的各種方案，提供全州圖書及期刊書目資料庫，館際互借和線上檢索服務。會員大都是加州之圖書館，也有一、二個 Neveda 及華盛頓州之大學圖書館參加為會員。

4. 五校資訊網（Five Associated University Libraries（FAUL))位於紐約州Syracuse 市，提供自動化規畫及諮詢服務：
　　　會員為：Cornell University, University of Rochester,紐約州立大學（Binghamton, N.Y.)，紐約州立大學（Buffalo, N.Y.), Syracuse University。

5. 依里諾伊州資訊網(The Illinois Library and Information Network(Illinet))位於 Springfield, Illinois 為該州州立圖書館所協調之資訊網，與十八個系統連線提供 1,500 個圖書館館際互借、訓練、OCLC書目及出納系統服務。

6. 印第安那州圖書館合作組織(Indiana Cooperation Library ry Services Authority(INCOLSA))位於 Indiana 州 Indianapolis 市為印第安那州全州性資訊網，提供自動化規劃、諮詢服務及集中性之技術編目服務。有印州各圖書館參加 OCLC 的聯合目錄，訓練線上檢索人員并協調印州 OCLC用戶事宜。

7. 密西根圖書館合作組織(Michigan Library Consortia (MLC))位於密西根 Detroit，主理密西根州內圖書館使用 OCLC服務事宜，包括裝置機具、行政、訓練及維護事宜。

8. 中西部圖書館資訊網(Midwest Region Library Network (Midnet))位於Wisconsin 州 Green Bay，提供OCLC、BRS、DIALOG 及 ORBIT 等服務給廿餘所中西部大學及州立圖書館使用。

9. 明尼蘇達圖書館資訊交換中心(Minnesota Interlibrary Telecommunication Exchange(MINITEX))位於Minnesota 州Minneapolis，提供明州各圖書館共享資源之書目、通訊、及傳遞服務包括與North 和 South Dakota 圖書館及 Wisconsin 館際互借互惠辦法，線上資料庫檢索 OCLC書目及明州聯合目錄之服務。

10. 新英格蘭區資訊網(New England Library Information Network(NELINET))提供新英格蘭地區圖書館自動化規劃與諮詢服務、OCLC 編目、出納系統、 DIALOG 及 BRS 參考服務。

11. 俄亥俄州資訊網(Ohionet)位於該州Columbus市，裝置 256 臺OCLC終端機，提供編目及參考服務。

12. 賓州資訊網(Palinet & Union Library Catalogue of PA) 位於賓州費城，提供賓州東部、新澤西州、德拉瓦州及馬利蘭州二百餘圖書館使用OCLC的服務及館際互借的服務。

13. 匹次堡區域圖書中心(Pittsburgh Regional Library Center(PRLC))位於賓州匹次堡市。PRLC 提供會員圖書館 OCLC編目及卡片服務，并作館際互借及資料庫利用者教育工作。

14. 東南圖書館資訊網(Southeastern Library Network(SO-LINET))提供美國Alabama, Florida, Georgia, Kentucky, Louisana, Mississipi, North Carolina, South Carolina, Tennesse 及 Virginia 諸州使用OCLC的會員圖書館編目及館際互借，主題檔及權威檔的服務。

15. 威斯康辛圖書館合作組織(Wisconsin Library Consortium(WLC))位於Wisconsin 州Madison市，提供OCLC 服務并據以自製聯合期刊目錄以利館際互借并增進威州館際互借服務 Wisconsin Interlibrary Loan Service 之送遞文件的效率。

第九章

圖書館自動化作業之設置與選擇

規劃原則

- 分析需求、研定目的
- 綜合說明、分析報告
- 考慮各種可能選擇的自動化作業方式
- 評估成本與效益
- 系統規格
- 招標與投標
- 審查投標書
- 簽訂合約
- 合約審查報告
- 裝機須知
- 人員訓練
- 自動化系統作業評鑑要點

第九章
圖書館自動化作業之設置與選擇

規劃原則：

　　圖書館業務一向重視規劃，以達到一致化、標準化、及經濟化的原則。圖書館自動化的業務更苛求規劃，更須要慎思及精密的規劃。原因是自動化此一業務涉及面很廣；涉及經費、組織、人事。三者在自動化規劃方面都具有因果的作用。

　　圖書館自動化的分析雖然耗時費力，但系統分析是將科學方法運用到圖書館作業上，事前的規劃仍較事後的評價重要得多。茲綜合機具設置時，進行程序及方法如下 [55]：

　　一、分析需求，研訂目的。

　　二、綜合說明，分析報告。

　　三、考慮各種可能選擇的自動化作業方式。

　　四、評估成本和效益。

　　五、系統規格。

　　六、招標與投標。

　　七、審查投標書。

　　八、簽訂合約。

　　九、合約審查報告。

　　十、裝機須知。

　　圭、人員訓練。

　　圭、自動化作業系統評鑑。

壹、分析需求、研定目的：

在自動化作業設計前，最重要的步驟是分析作業與了解目的。有些圖書館由館內人員進行系統分析，也有些請專門之系統分析家辦理，但必須充份讓館員參與此一分析工作，分析後可將圖書館自動化作業的目的及長期規劃的藍圖繪出。在分析時所用工具是流程圖（Flowchart）及分段圖（Block Diagram），在設計系統及程式時，亦要用流程圖來表示。

一、流程圖分二種：

(1) Operations and process flowchart 活動及程序流程

(2) Programming flowchart 程式流程

所用的符號均為一樣的❻：

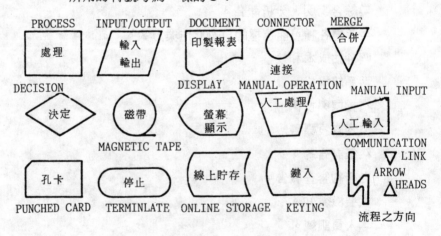

圖10　流程圖符號

二分段圖：其功用在於說明某一系統之組織及其隸屬關係，以便更清晰地了解總系統與副系統之間之關係◍。如下圖：

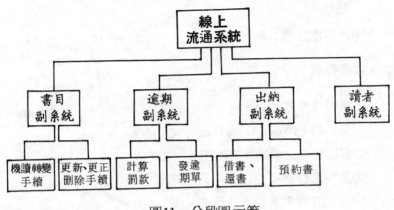

圖11　分段圖示範

貳、綜合說明、分析報告：

必須要先了解所分析之圖書館的目的和宗旨，所服務的對象如何，再去發現每一個細節及各單元是如何工作的，相互之間關係如何，而後才能了解各單元如何銜接進行。再將每一項單元的資料予以說明，最後將所獲的資料，以書面說明◍。

系統分析後所作的說明應具備下列各點：

一、前　言：

(1)說明圖書館，其型態、館藏量、分館數目、服務對象、特別節目及其他有關資料。

(2)圖書館的目的及目標。

(3)所研究的系統及其功能，此作業與圖書館其他部份作業之關係。

(4)目前作業的目的。

二、作業說明：

(1)說明作業的流程，所做的活動，作業的秩序，副系統應以分段圖（Block Diagram）表示之。

(2)列出所存之檔案及其功用。

(3)說明處理該項工作之人員。

(4)列出所產生之文件或報表。

(5)以流程圖表示之。

(6)該系統現置何處？空間如何利用？應附配置圖。

三、相關資料：

(1)對系統的要求的量和程度。

(2)系統操作的價格。

(3)系統所需的時間和其他功能。

(4)系統所需用的人員，其等級及專業程度。

四、問題所在：

(1)積壓的工作。

(2)錯誤。

(3)要提高服務的層次。

(4)費用增高。

(5)讀者或職員們的不滿。

叁、考慮各種可能選擇的自動化作業方式：

圖書館自動化之方向甚多，依據系統分析和評估效益後，圖書館可擇下列之路徑⑱：

一、參加書目供用中心及資訊網。

二、自行發展之系統。

三、採用他人發展的系統（即改裝系統）。

四、購買轉鍵系統。

五、自行裝置微電腦。

六、採用書商提供的系統：與提供服務的圖書商簽約，變成經銷商或書局服務的項目之一。

這種六項的可能性中，圖書館可以只擇其一，亦可以三種方式同時進行。茲將 Corbin 研究各種利弊的結果綜合如下⑲：

一、參加書目供用中心及資訊網：

1.益　處：

(1)圖書館無需自裝電腦設備，只要有終端機即可與其他圖書館共享圖書館的效益。

(2)無需浪費時日，裝機時間很快。

(3)無需投資到系統之設計、程式之製作及測驗上去。

(4)無需要自備自動化作業專家。

(5)書目供用中心或資訊網會協助裝機、維護及訓練工作人員等。

(6)若對該書目供用中心或資訊網不滿時，可隨時退出，無任何損失。

(7)書目供用中心繼續不斷研究改進。

(8)亦得其他合作之效益：如電子郵件（Electronic Mail）、館際互借和合作採購等。

(9)可以查一個龐大的書目庫。

(10)可以用聯合目錄外，尚可以得到統整的自動化服務（Integrated Services）。

(11)已得悉書目供用中心之服務的能力。

(12)書目供用中心為非營利單位，無硬性推銷的情形。

2.弊　端

(1)裝機費、電傳費及服務費用可能較預期價格為高。

(2)圖書供用中心或資訊網作業的方法，不見得與圖書館個別的措施一致。

(3)館員宜加訓練。

二、自行發展之系統：

1.益　處：

(1)圖書館所付出之費用及時間，可以在自動化工作上自足自給。

(2)系統可照自己的理想來設計。

(3)自行開發的系統，自己非常熟悉，可以隨時加以改善或修正。

(4)不受任何合約的約束。

2.弊　端：

(1)以時間與金錢來看，費用相當大。

(2)圖書館需求助於系統分析師，程式設計師和其他的顧問。

(3)必須要購買所有的設備，并要訂維護合約。

(4)所發展的軟件，可能已經被發展出來，也可以買得到。

(5)開始時也不一定能確定自行開發的系統是否能成功。萬
一不成功，費錢亦掃面子。

(6)若有任何大問題，圖書館本身無力解決。

(7)任何修正改善都是圖書館自己的責任。

三、採用他人發展的系統：

1.益　處：

(1)可先觀察，知其能力，而後再投下時間與金錢。

(2)採用他人發展的系統，稍改修正，所費之力與經費較少。

(3)自給自足是最終的效益。

(4)可以與發展之單元合作，可用其維護的方法和轉換機讀
資料的方法。

2.弊　端：

(1)所採用之系統可能有其特殊不適用本館者。

(2)必須要有電腦硬軟體的人員。

(3)亦可能費很多的時間與金錢，去採用別人發展的系統。

(4)必須訓練員工及讀者，使之熟悉用法。

四、購買轉鍵系統：

1益　處：

(1)可迅速裝機。

(2)無需自備費用設計。

(3)無需自動化專家。

(4)員工無需有電腦背景。

(5)硬軟體的改善可能已列入原售價或維護契約中。

(6)有維護服務的契約。

(7)若有問題，可依合約或依法辦理。

(8)轉鍵系統亦可走向統整之途。

(9)轉鍵系統通常的記錄都不壞，經常都可以運用得很滿意。

2弊　端：

(1)此系統是為一般圖書館所設計，可能不能完全滿足本館
的需求。有些系統若要修正所花力量及費用都過大。

(2)圖書館會被絆住，非用此機不可。

(3)圖書館可能受到合約的限制，無法做任何的改善。

(4)有些系統不用機讀編目之標準格式，無法利用現有的磁
帶。

(5)若該商倒閉，圖書館無法獲得任何支援。

五、自行裝置微電腦：

1益　處：

(1)比較便宜。

(2)微電腦經常會改善，但舊的軟體仍可應用。

(3)先購置微電腦可以先學習自足自給的辦法。

(4)有多種用途，必值回價格。

(5)有許多軟體成品可使用於探訪、期刊控制、流通、會計、統計、及文字處理。

(6)有光筆及光學辨認器等輸入的方式。

2.弊　端：

(1)只有一臺，大家要用，有時間衝突的問題。

(2)容易被盜。

(3)新產品很多，很快就陳舊。

(4)容量不夠大。

(5)若廠商倒閉，圖書館無法獲得任何支援。

六、採用書商提供的系統：

書商和圖書館設備供應商亦發展出一些系統，與圖書館連線做自動記錄或控制用。

1.益　處：

(1)開始執行時可能省力省錢。

(2)與其他方法比較，這種系統的變化較多。

(3)通常失誤率較低。

(4)所含之資料有較新穎的價格。

(5)很容易訂書。

2.弊　端：

(1)連線所用電話費用可能會高。

(2)可能不適用於本館的特別程序。

肆、評估成本與效益：

　　爲省人力，減低成本，提高效益，圖書館逐步走向自動化。在未作系統分析時，決不應下任何的決定。在系統分析之時，很主要的工作是評估成本與效益，以便達成此三種目的。圖書館的每項工作均應分析出其單價成本，及其與效益的比例，有二種基本計算方式⓱：

　　一、單價成本之計算——如以1000元可獲20本書，每本書單
　　　　價爲1000 ÷ 20 = 50元。

　　二、效益之計算—— 則爲20 ÷ 1000 = 0.2。如果1000 元可
　　　　以獲30本書，其效益爲0.3，要比0.2來得好。

　　上述方式僅爲簡單例子。作多方面的成本及效益評估應涉及各種有關的費用、書價、處理費用等等。計算自動化系統費用時，應考慮到下列各項⓲：

一、初步投資：

1. 計劃費用：作分析時所付之薪金、顧問費、收集資料、訪問圖
　　書館之旅費及文具等。
2. 硬體費用。
3. 軟體費用。
4. 場地籌備費用：包括修改場地、裝修、電路、冷暖氣及濕
　　度控制。

5. 傳換資料費用。

6. 館員訓練費用。

7. 其他配合電腦之設備，如：桌、椅等。

8. 其他雜項。

二、經常費用：

1. 文具、紙張、磁帶等等。

2. 電傳費用。

3. 硬體維護費。

4. 軟體維護費。

5. 運用書目供用中心記錄之費用。

6. 其他。

伍、系統規格（ System Specification ）或改善舊系統的計劃：

此規格應包括以下各點⓸：

1. 功能之說明：亦卽說明須要自動化的業務應有些功能上的細節。如：流通系統，應包括借書人之控制、罰款、延期、還書、催書、發逾期單、預借、及與其他圖書館及借書人通信的副系統。

2. 資料庫的規格：說明應有那些檔案，如流通系統必須有借書人記錄檔、借書記錄等等。并應說明檔案的一般性質、檔案的大小、成長率和轉換記錄的需要等。

3. 管理報表的規格：說明所須的統計和管理資料的類別如借

書、還書、預約、罰款收到的數字及未收數字等等。

4. 工作量的規格：說明每年借書量，催書量及預量之估計。

5. 執行的規格：應說明此系統處理資料或進行的速度和正確性，處理每一筆資料平均反應的時間，例如：每筆資料的輸入及編輯，反應時間平均應在六秒中之內，借書、還書及其他出納手續應在二秒中內反應。

6. 硬體的規格：說明所需各種機具，如中央處理機的活動，螢幕、磁碟機、印表機、輸入設備、通訊設備。

7. 軟體的規格：說明希望軟體做到的事，如操作系統應可自動排時間，將程式放入記憶體按預定優先次序處理資料、維護安全以及自動的支援系統（Back-Up）。

8. 文獻記錄（Documentation）的規格：舉凡自動化系統方面所作的說明均應嚴格規定如：廠商應提供詳細之出納系統作業法，參考書冊及訓練手冊，若有任何修正，均應及時提供給圖書館。

9. 訓練的規格：應說明需要訓練的人數及各階層人員之不同程度之訓練。

10. 硬軟體維護的規格。

因為圖書館員不可能有時間及能力將上述各規格一一寫得很詳細及完備，圖書館通常需用系統分析師或顧問來進行這項工作。但圖書館員應了解這種種規格之內容及其必要性。

陸、招標與投標：

以上分析報告及規格可能發展成爲一份招標文件（Request for Proposal簡稱RFP）。此文件應先提供投標者下列事項：

1. 圖書館之目的、功能、服務項目。

2. 投標須知（包括時間、地點、方式）。

3. 機具規格（System Specification）、硬體、軟體、服務項目、價格、維護費用、訓練方式及費用。

4. 一般有關採購、裝置、驗收及付款之規格。

柒、審查投標書：

審查工作包括八個步驟⑮：

一、審查各投標者對系統規格的反應，列表標明，以便比較。

二、審查各投標者是否有正確的硬體機具之組件、數量、容量？是否符合圖書館所做的一切要求？

三、審查初步價格包括各硬體、軟體、人員訓練、文獻記錄、運貨、裝置費用。

四、審查每年維護費用。

五、對投標者信譽、經驗及行銷量之審查。

六、觀察系統作業展示。

七、實地到有此系統處參觀。

每件項目均可以列表方式，將各家投標者資料彙齊在一張表上，以便加以比較。最後一個綜合的表格應如下例：

項　　目	投標者 1	投標者 2	投標者 3	投標者 4
符合所有必須之條件	是	是	否	否
符合其他不一定須要的條件	否	否	否	否
開　始費　用	費用數目	費用數目	費用數目	費用數目
五　年之維護	費用數目	費用數目	費用數目	費用數目
曾賣過的系統數量	數字	數字	數字	數字

經上表比較，可選出最符合圖書館使用之系統。

捌、簽訂合約：

合約有二種：

一、購買合約：

此合約係將買賣雙方的責任和義務一一列出，通常延請了解電腦設備的律師起草，內容應包括下列[75]：

1.買賣方地址及代表簽約人姓名。

2. 系統清單及價格。

3. 裝置地點。

4. 交貨及裝置日期、驗收方式。

5. 有關圖書館對硬、軟體修正之要求。

6. 系統之產權：說明最後付款後系統之產權屬於圖書館。

7. 保險方式，在未付清款項前應爲賣方之責任。

8. 保證書及日期。

9. 驗收及試驗。

10. 訓練日程。

11. 付款方式及日期。

12. 悔約之賠償。

二、維護合約：

維護服務之合約應包括下列各項：

1. 所涵蓋的設備及軟體。

2. 器材設置地點。

3. 維護時間：應附上圖書館關閉及開放時間表。

4. 修護服務。

5. 預防性維護服務。

6. 軟體維護。

7. 零件。

8. 維護服務付款辦法。

9. 合約期限。

玖、合約審查報告：

此報告說明審查系統時所用的審查方式，及準則，如審查階段所用表格，最後決定根據之表格，審查委員會的建議及其理由。

拾、裝機須知：

一裝機之準備涉及機具的大小、性質和其複雜性。注意的問題是溫度、濕度、灰塵及安全措施，應對下列事項有所說明：

　　1.電腦室之設計與建築——廠商應提供有關電源、空調、濕度、安全、防火、地板、天花板、門窗、燈光及儲藏設備及所需空間的資料。

　　2.電腦室監視辦法——警鈴設備。

二裝機地點：

　　應設備於交通方便之處，應可上鎖之處，應便於運送上下器材至外面，應置於近外牆之房間，以便放置空氣調節器，應置於可承擔重量之地區。

三空間之配置：

　　空間之有效配置對有效的執行與維護有莫大的關係，應按廠商之規格辦理。儘量有效地利用空間，在器材旁邊應留充份的空間便於操作及維護。佈局應可預留以後發展之空間。應對入口處安全措施有妥善的說明。

以上之顧慮，可作建立電腦室之根據。

四連線問題：

為線上作業起見，終端機，印表機及其他輸出輸入器材必須與中央處理機連線。大約有下述三種方式應由廠商提供規格：

短距離——五百公尺以內。

中距離——凡五百尺到五十里之下的距離應可用調變器（Modem）。

遠距離——除了調變器外可用複合式電子產品（Multi-plexer）。

五工作區之安排

每一工作區包括終端機，終端機置放的桌子、椅子和燈光。終端機位置在操作者前面，操作者的手仍可在「平」的位置之處，約在眼睛所及十五度之處。鍵盤應置於離地26英吋處。放置終端機的桌子，應在 24-28 英吋之間，應遠離窗子。椅子應用可調整高低位置者；椅子之深度不應超過十七吋；寬度不應超過十六吋。燈光應參考 IES Lighting Handbook ⑦ 。

拾壹、人員訓練：

自動化作業人員訓練有六個層次⑧：

一館員之一般訓練。

二,系統操作人員之訓練。

三,管理人員之訓練。

四基層操作人員訓練。

五,讀者訓練。

六,繼續訓練。

除了廠商提供的訓練外,可由下面幾種方式接受有關之訓練:

一,正式課程。

二,聽講演或上課。

三,自己看書進修,利用電腦輔助教材。

四參觀已有自動化作業的圖書館。

五,參觀會議展覽。

六,參與有關之諮詢委員會活動。

以上之招標、比價、審查及合約簽定方式僅購置機器的一般原則。各書目供用中心另有一定之合約,視各中心而異,原則大致相同。

拾貳、自動化系統作業評鑑要點:

圖書館自動化系統評鑑的根據有下列五項[61]:

1. 正確性——錯誤率如何?

2. 反應時間——反應時間是否迅速?

3. 安全性——保密性如何?

4. 可靠性——是否不易壞?

5. 彈性——是否可容納改變或增減?

綜觀之，如何選擇圖書館自動化系統之因素甚多，每個圖書館的考慮不同，但終以統整(Integrated System)之系統較佳。既可省去機讀資料的一再轉換，又可用同種機具。但有些圖書館只擬將其部份的作業予以自動化，所以有多種的方式可供選擇。

第十章

圖書館自動化作業之趨勢

・統整化
・專業化
・圖書自動化
・普及化和個人化
・結語

第十章
圖書館自動化作業之趨勢

廿餘年來，圖書館自動化成功的發展，使過去認爲無稽之幻想變成了事實。因此我們可據之預卜未來十年圖書館自動化的趨勢。

由於電腦功能、貯藏資料媒介、和傳輸設備隨著科技而進步；電腦的速度和效益愈來愈增高，價格、體積和距離則愈來愈下降、縮小和縮短。由於下列這些新的科技成品：光碟（CD-ROM）、錄影碟（Videodisc）、錄影文字（Videotext）、掃描器（Scanner）、和光學辨認器（OCR）、光纖傳播系統（Fiber Optic System）及影象傳眞設備（ Tele-facsimile or Digital Facsimile），根據一些專家的意見 ❽，預期在未來的十年中會有更突破的貢獻。個人認爲圖書館自動化會走向下列的方面：

壹、統整化（即多元功能之一元化）：

一種設備提供多元服務，可免去許多的重覆工作，圖書館自動化最大的效益是提升服務效率，共享資源。爲達到這個境界，圖書館資訊網和書目供用中心是極有效的工具。個別圖書館自行開發系統的可能性及可行性將不斷地減少。個別圖書館爲了互享資源，由於書目供用中心亦提供很多副系統如採訪、期刊管理等等，亦可多利用這種統整化的服務。要達到理想的統整化，除了技術的不斷發展外，有許多人爲的因素也很重要，例如書目供用中心之間的合作無間精神、連線的意願、採用共同通訊協定（Protocol）、發展透明程式（Transparent Programming）以便不同機具可以互通資訊，也應發展更多國際性的標準。個別圖書館更應在自動化前，作統整與週詳的分析和規畫，以促進統整化的實踐。

貳、專業化：

由於圖書館資料的處理與運用，日漸與科技發生很密切的關係，圖書館員的素養和工作亦更趨專業化。館員面臨更多的挑戰，他們不但要了解圖書資源，要了解讀者需求，要具備科技新知，要進一步做圖書、科技成品及讀者的界面（Interface）。他們不但要懂書、懂人、也要懂科技成品。圖書館員的專業訓練涉及的面更加廣泛亦更加專精，因此圖書館員這行業更趨向多知能的專業化。

叁、圖書自動化：

過去廿年來所重視的是圖書館管理及服務的自動化——編目、採訪、期刊管理、流通制度、行政管理、電腦輔助參考服務中的資訊檢索等，都是提供一些服務使圖書館管理更好，更容易取得資料。未來的十年中，圖書本身要開始走向自動化。全文可錄成電子書（Electronic Book）。讀者可以利用終端機查資料，通信息，也可以查字典，看書裏全部或局部的文字。幾十萬字圖書都存眞在電腦裏，備讀者運用終端機來閱讀，來做箚記。目前只有有限的參考書已錄入資料庫備查。今後愈來愈多的電子圖書將是圖書自動化的產品。

肆、普及化和個人化：

　　讀者運用這些設備來使用文字資料和圖形資料，他可依個人的需求來界定資料，他可以一面做箚記，一面寫文章出版，一面和同行或出版商或編輯討論。每人都可享受到自動化的效益。由於圖書館自動化的普及，使用的人可用各種方式索取到所需資料，因此我們會發現圖書館自動化愈來愈走向普及化和個人化。

　　我們可以預期今後的十年，圖書館自動化逐漸走向圖書自動化、統整化、專業化、普及化及個人化。將人類和資料帶入超時間和超空間的境界中。有許多的功能都在一臺終端機上表現出來，使讀者方便地利用到，使圖書的效用更普及，亦給圖書館員更大的挑戰，他們不僅要了解圖書，要了解讀者的需求，更大的挑戰是怎樣運用科技成品，以最少的費用，提供最佳的服務給最多的讀者使用。

伍、結　語：

　　善於運用科技成品，擴大知識領域，使研究成果精湛，使生活素質提升。但是人們必須掌握科技成品，視科技成品爲工具，而不爲工具所支配。故自動化階段重要體認是「利其器」也「善用利器」。

　　當科技成品發展到以上預測程度時，人們可享用資訊效益，但也面臨許多連帶的問題。例如版權或隱私權問題，有待國人針對問題用誠摯的態度研議，提出解決途徑的建議，由專業組織或國家主管單位切實研究，擬訂政策性的辦法納入資訊政策。

　　自動化的效益高，畢竟人仍是主宰，故勿忽視「人」和「社會」的因素是自動化作業階段，應強調的認識。

附　註

❶ L. A. Tedd, *An Introduction to Computer-Based Library Systems*. (London: Heyden, 1978), p.2.

❷ F. W. Lancaster. *The Measurement and Evaluation of Library Services.* (Arlington, VA.: Information Resources Press, 1977), p.273.

❸ John Corbin. *Managing the Library Automation Project.* (Phoenix, Arizona: Oryx Press, 1985), p.6.

❹ Robert M. Hayes and Joseph Becker. *Handbook of Data Processing for Libraries.* 2nd ed. (Los Angeles: Melville Publishing Co., 1974), p. 6.

❺ *Encyclopedia of Library and Information Science,* V. 14, (N. Y.: Marcel Dekker, 1975), pp. 338-445.

❻ William H. Desmonde. *Computers and Their Uses.* 2nd ed. (Englewood Cliffs, N.J.: Prentice-Hall, 1971), pp. 15-23.

❼ Jessie H. Shera. *Introduction to Library Science.* (Littleton, Colorado: Libraries Unlimited, 1976), p. 93.

❽ Vannevar Bush, "As We May Think," *Atlantic Monthly* 176 (August 1945):106.

⑨　Stephen R. Salmon. *Library Automation Systems*. (N.Y.: Marcel Dekker, 1985), pp. 4-5; C.J. F. Reintjes, "Project INTREX: A General Review," *Information Storage and Retrieval* (Winter 1974): 157-99.

⑩　黃明達撰　電腦入門與探討　臺北：松崗：民73年。

⑪　William Saffady. *Introduction to Automation for Librarians*. (Chicago: ALA, 1983), pp. 7-13.

⑫　*Ibid*.

⑬　Robert M. Hayes and Josepph Becker. *Handboook of Data Processing for Libraries*. 2nd (Los Angeles: Melville Publishing Co., 1974), p. 242-43.

⑭　Richard W. Boss. *The Library Manager's Guide to Automation*. 2nd ed. (White Plains, N.Y.: Knowledge Industry Publications, 1984), pp.11-26.

⑮　John C. Gale, "Current Trends in the Opital Storaqe Industry," *Bulletin of the American Society for Information Science* 13 (September 1987): 12-14.

⑯　Catherine E. Snyder and Sheila L. Webster, "Videodiscs and Training," *Bulletin of the American Society for Information Science* 13 (September 1987): 22-23.

⑰　*Telecommunications and Libraries: A Primer for Librarians and Information Managers.* (White Plains, N.Y.: Knowledge Industry Publications, 1981,) p. 28.

⑱　William Saffady. *Introduction to Automation for Librarians.* (Chicago: ALA, 1983), PP.43-50.

⑲　*NOTIS System Description; NOTIS Configuration Guide; NOTIS Online Public Catalog.* (Evanston, Illinois: Notis), 1987.

⑳　William Saffady. *Introduction for Librarians.* (Chicago: ALA, 1983), p. 223.

㉑　Richard W. Boss. *Automating Library Acquisitions Issues and Outline.* (White Plains, N.Y.: Knowledge Industry Publications, 1982), pp.47-48.

㉒　William Saffady. *Introduction to Automation for Librarians.* (Chicago: ALA, 1983), pp. 271.

㉓　Richard W. Boss. *The Library Manager's Guide to Automation.* 2nd ed. (White Plains, N.Y.: Knowledge Industry Publications, 1984), pp. 95-96.

㉔　David C. Genaway. *Integrated Online Library Systems: Principles, Planning and Implementation.* (White Plains, N.Y.: Knowledge Industry, 1984), pp. 60-62.

㉕　　Susan K. Martin. *Library Networks, 1981-82.* (White Plains, N.Y.: Knowledge Industry Publications, 1981), pp.60-62.

㉖　　Richard W. Boss. *The Library Manager's Guide to Automation.* 2nd ed. (White Plains, N.Y.: Knowledge Industry Publications, 1984), p. 94.

㉗　　Charles M. Goldstein *The Integrated Library System (ILS): The System Overview.* Washington, D.C.: Department of Health and Human Services, 1981.

㉘　　Hwa-wei Lee and K. Mulliner, etc. "ALICE at One: Candid Reflections on the Adoption, Installation and Use of the Virginia Tech Library System (VTLS) at Ohio University," In *the Second National Confernce on Integrated Online Library Systems Proceedings,* September 13-14, 1984, Atlanta, Georgia, ed. by David C. Genaway. (Canfield, Ohio: Genaway and Associates, Inc., 1984), pp. 228-242.

㉙　　International Organization for Standardization, "7-Bit-Coded Character Set for Information Processsing Interchange," (ISO-646-1973), (Geneva: ISO, 1973).

㉚　　_____, "Code Extension Techniques for Use with the ISO 7-Bit Coded Character Set, (ISO 2022-1973,

(Geneva: ISO, 1973).

㉛　　American National Standards
Institute, "USA Standard Code for
Information Interchange," X3.4-1977)
(Washington, D.C.: ANSI, 1977).

㉜　　International Business Machines
Corporation, "EBCDIC Chart," In *IBM
System/370 Principles of Operation*. 5th
ed. (Poukeepsie, N.Y.: IBM, 1976).

㉝　　中文資訊交換碼　　*Chinese
Charaoter Code for Information
Interchange*. v.l. (臺北：中國圖書館學會，
1980).

㉞　*USMARC Character Set - Chinese,
Japanese, Korean*. (Washington, D.C.:
Superintendent of Documents, 1986).

㉟　"International Organization for
Standardization Documentation - Formats
for Bibliographic Information Interhcange
on Magnetic Tape," (ISO-2709-1973; 1980)
(Geneva: ISO, 1973; 1980).

㊱　　Henriette D. Avram. *MARC: Its
History and Implications*. (Washington
D.C.: Library of Congress, 1974);

*MARC Formats for Bibliographic
Data*. (Washington D.C.: Library of
Congress, 1980).

㊲　　International Federation of
Library Associations and Institutions.
Working Group on Content Designators.

UNIMARC. Universal MARC Format. 2nd ed.
(London: IFLA, IInternational Office for
UBC, 1980).

㊳   Chinese MARC Workinq Group,
Library Automation Planninq Committee.
Chinese MARC Format. 2nd ed.(Taippei:
National Central Library, 1984);

Lucy Te-chu Lee, "US/MARC,
Canadian MARC, UNIMARC, and Chinese MARC
Formats: A Comparison," *Library and
Information Science: A Collection of
Essays.* (Taipei: Sino-American Publishing
Co., 1985), pp.21-22.

㊴   Richard W. Boss, *Automating
Library Acquisitions: Issues and Outlook.*
(White Plains, N.Y.: Knowledge Industry
Publications, 1982), pp.

㊵   John Koutz, "Automated
Acquisitions Systems: A Survey," *Journal
of Library Automation* 13 (December 1980):
250-260; OCLC, Inc., Acquisition
Subsystem Overview. (Columbus, Ohio:
OCLC, 1980).

㊶   Brochure of Carrolleton Press;

"COMARC Project to End," *Journal of
Library Automation* 11 (September
1978):269.

㊷   Joseph R. Matthews, "OCLC, RLIN,
UTLAS, WLN - A Comparison," *Library
Technology Reports* 15 (November-December
1979):655-838.

❽ Andrew Wang, "OCLC CJK Automated Library Information Network," *Journal of Library and Information Science* 11 (October 1985) 143-53.

❿ Karen Wei and Sachie Noguchi, "RLIN CJK vs OCLC CJK: The Illinois Experience." Paper Presented at the 39th Annual Confernce of the Association of Asian Studies, April 12, 1987, Boston, Massachusetts.

⓯ Alice Harrison Bahr. *Automated Library Circulation Systems, 1979-1980.* 2nd ed. (White Plains, N.Y.: Knowledge Industry, 1979;

"Trends in Implmentation of Automated Circulation Systems," *Journal of Library Automation* 12 (September 1979):198-202.

⓰ David C. Taylor. *Managing the Serials Explosion.* (White Plains, N.Y.: Knowledge Industry Publications, 1982), pp.84-88.

⓱ William Saffady. *Introduction to Automation for Librarians.* (Chicago: ALA, 1983), p. 279.

⓲ I. Bradley, "International Standard Serial Numbers and International Serials Data System," *Serial Librarian* 3 (Spring 1979):243-53.

⓳ G. R. Wittig, "CONSER (Cooperative Conversion of Serials

Project): Building an Online
International Serials Data Base," *UNESCO
Bulletin for Libraries* 31 (September
1977):308-10.

⑤ David C. Taylor. *Managing the
Serials Explosion*. (White Plains, N.Y.:
Knowledge Industry Publications, 1982),
pp. 80-84.

⑤ William Saffady. *The Automated
Office: An Introduction to Technology*.
(Silver Spring, Maryland: National
Micrographics Association, 1981;

R. J. Potter, "Electronic Mail,"
Science 195 (March 1977):160-64.

⑤ Carol Hansen Fenichel, "Databases
and Database Producers and Vendors,"
*Online Searching Technique and
Management*, ed. by James J. Maloney.
(Chicago: ALA, 1983), pp. 28-29.

⑤ L. A. Tedd. *An Introduction to
Computer-Based Library Systems*. (London:
Heyden, 1980), pp. 126-35.

⑤ Carol Hansen Fenichel, "Databases
and Database Producers and Vendors,"
*Online Searching Technique and
Management*, ed. by James J. Maloney.
(Chicago: ALA,1983), p.26.

⑤ M. C. Gechm, "Machine Readable
Databases," *Annual Review of Information
Science and Technology,* ed. by C. Cuadra
and A. W. Luke. (Washington D.C.:

American Society for Information Science, 1972;

  Kathleen E. Shenton, "Types of Data Bases Availalbe," *Changing Information Concepts and Technologies.* (White Plains, N.Y.: Knowledge Industry Publications, 1982), pp. 30-63;

  J. L. Hall. *Online Information Retrieval Sourcebook.* (London: Aslib, 1977), pp. 93-109.

⑯ L.A. Tedd. *An Introduction to Computer-Based Library Systems.* (London: Heyden, 1980), pp. 129-34.

⑰ Lucille H. Campey. *Generating and Printing Indexes by Computer.* (London: Aslib, 1972), pp. 30-31.

⑱ National Commission on Library and Information Science. *Toward a National Program for Library and Innformation Services: Goals for Action.* (Washington D.C.: U.S. Superintendent of Documents, 1975), pp. 82-83.

⑲ William B. Rouse and Sandra H. Rouse. *Management of Library Networks: Policy Analysis, Implementation and Control.* (New York: Wiley, 1980), pp.20-24.

⑳ William Saffady. *Introduction to Automation for Librarians.* (Chicago: ALA,, 1983), p. 102.

㉑ Susan K. Martin. *Library*

Networks, 1981-82. (White Plains, N.Y.:
Knowledge Industry Publications, 1981),
pp. 29-45.

⑥ William B. Rouse and Sandra H.
Rouse. *Management of Library Networks:
Policy Analysis, Implementation and
Control,* (New York: Wiley, 1980), p. 6.

⑥ _____, pp. 15-19.

⑥ Susan K. Martin . *Library
Networks, 1981-82.* (White Plains, N. Y.:
Knowledge Industry Publications, 1981),
pp. 109-153.

⑥ Robert M. Hayes and Joseph
Becker. *Handbook of Data Processing for
Libraries.* 2nd ed. (Los Angeles:
Melville Publishing Co., 1974), p. 93;

Joseph R. Matthews. *Choosing an
Automated Library System: A Planning
Guide,* (Chicago: ALA, 1980).

⑥ Ned. Chapin, "Flowcharting with
the ANSI Standard: A Tutorial," *Computing
Surveys* 2 (June 1970): 19-46.

⑥ James Rice. *Introduction to
Library Automation.* (Littleton,
Colorado: Libraries Unlimited, 1984), pp.
118-19.

⑥ John Corbin. *Developing Computer
Based-Library System.* (Phoenix, Airzona:
Oryx Press, 1981), pp. 15-18.

⑥⑨　*Ibid.*

⑦⓪　James Rice.　*Introduction to Library Automation.* (Littleton, Colorado: Libraries Unlimited, 1984), p. 81.

⑦①　Richard M. Dougherty and Fred Heinritz, *Scientific Management of Library Operations.* (Metuchen, N.J.: Scarecrow, 1982), pp. 188-209.

⑦②　James Rice. *Introduction to Library Automation.* (Littleton, Colorado: Libraries Unlimited, 1984), pp. 104-5.

⑦③　John Corbin. *Managing the Library Automation Project.* (Phoenix, Arizona: Oryx Press, 1985), pp.67-69.

⑦④　*Ibid.,* pp. 80-94.

⑦⑤　*Ibid.,* pp.112-121

⑦⑥　*Ibid.,* pp.123-27.

⑦⑦　*Ibid.,* p. 128.

⑦⑧　*Ibid.,* pp.139-40.

⑦⑨　*Ibid.,* pp.141-43.

⑧⓪　David C. Weber, "Personnel Aspects of Library Automation," *Journal of Library Automation 4* (March 1971):27-37.

⑧①　*F. W. Lancaster. The Measurement*

and *Evaluation of Library Services*
(Arlington, Virginia: Information
Resources Press, 1977), p. 141.

⑧２ _____, "The Future of the
Library in the Age of Telecommunica-
tions," *Changing Information Concepts and
Technologies*. (White Plains, N.Y.:
Knowledge Industry Publications, 1982),
pp. 145-64;

_____, *Libraries and
Librarians in the Age of Electronics*.
(Arlington, Virginia: Information
Resources Press, 1982);

Richard De Gennaro, "Library
Automation & Networking Perspectives on
Three Decades," *Library Journal* (April
1, 1983):629-35;

_____, "Shifting Gears:
Information Technology and the Academic
Library," Libraries and Information
Technology and the Academic Library,"
*Libraries and Information Science in the
Electronic Age,* ed. by Hendrik Edelman.
(Phildelphia: ISI Press, 1986), pp.
23-35.
_____, "Integrated Online
Library Systems: Perspective,
Perceptions, & Practicalities," *Library
Journal* (February 1, 1985): 37-40.

Carlos A. Cuadra, "The Coming Era
of Local Electronics Libraries,"
*Libraries and Information Science in the
Electronic Age,* ed. by Hendrik Edelman.

(Philadelphia: ISI Press, 1986), pp.
11-22;

　　　Gerald Salton,　"Toward A Dynamic
Library," *Impact of a Paperless Society
on the Research Library of the Future,*
ed. by F. Wilfred Lancaster, Laura S.
Drasgow and Ellen B. Marks.
(Urbana-Champaign, Ill., University of
Illinois, Graduate School of Library
Science, Library Research Center, 1980).

附　　錄

・選擇圖書館自動化系統可參考之資源
・參考書目
・中文索引
・英文索引

附　錄
選擇圖書館自動化系統可參考之資源

一、專業協會之會議：

如美國圖書館協會（American Library Association）、美國資訊科學學會（American Society for Information Science）、專門圖書館協會（Special Libraries Association）、教育傳播與科技協會（Association of Educational Communication）以及隸屬他們的各組所召開的會議及舉辦的展覽，如美國大學及研究圖書館協會（Association of College and Research Libraries）和圖書館資訊技術協會（Library Information Technology Association）等。

二、各地區性資訊網之建議。

三、美國研究圖書館的系統和程序交換中心（System and Procedures Exchange Center）出版圖書館系統和問題的小冊子（SPEC Kits）。

四、介紹硬軟體的雜誌：

1. Computer Equipment Review（以圖書館為主）

2. Computers and Education

3. Software Review

4. Educational Products Information Exchange（EPIE）常報導教育界可用到的服務、軟體成品、微電腦、

終端機、印表機和其他自動化的設備。

上述雜誌內容的索引可查 Computer Abstracts，Comput-
ing Reviews 和 Data Processing Digest。

五.圖書館學的期刊，如：

1. 美國圖書館學會的 Library Technology Report 和

2. Library Systems Newsletter

   以上兩份期刊都為 The Sourcebook of Library
   Technology 所索引。

3. American Libraries

4. Information Technology and Libraries

5. Library Hi-Tech

6. Library Resources and Technical Services

   以上四份期刊之內容可由 Library Literature 及 Library
   and Information Science Abstracts 中查出。

六.聯合國國際文教組織所編的適用於圖書館、資訊中心、檔
   案館等組織的軟體成品清單。聯絡地址是 Dr. Carol Ka-
   ren，COST I，P. O. Box 20135, Tel Aviv, Israel
   61201.

參考書目

American National Standards Institute. *USA Standard Code for Information Interchange*. Washington D.C.: ANSI, 1977.

Avram, Henriette D. *MARC: Its History and Implications*. Washington D.C.: Library of Congress, 1975.

Bahr, Alice Harrison. *Automated Library Circulation Systems, 1979-1980*. 2nd ed. White Plains, N.Y.: Knowledge Industry Publications, 1979.

Bingham, John E., and Davies, Garth. *A Handbook of Systems Analysis*. 2nd ed. New York: Wiley, 1978.

Boaz, M. T., "Selection of Bibliographic Data Bases: Research for Examining the Design Elements of Various Bibliographic System before Adopting One," *Journal of Library Automation* 12 (June 1979): 178-79.

Borko, Harold & Berner, Charles L. *Indexing Concepts and Methods*. N.Y.: Academic Press, 1978.

Boss, Richard W. *Automating Library Acquisitions: Issues and Outlook*. White Plains, N. Y.: Knowledge Industry Publications, 1982.

Boss, Richard W. "General Trends in
    Implementation of Automated Circulation
    System," *Journal of Library Automation* 12
    (September 1979): 198-202.

Boss, Richard W. *The Library Manager's Guide
    to Automation*. White Plains, N.Y.:
    Knowledge Industry Publications, 1979.

Boss, Richard W. *The Library Manager's Guide
    to Automation*. 2nd ed. White Plains,
    N.Y.: Knowledge Industry Publications,
    1984,

Bradley, I, "International Standard Serial
    Numbers and International Serials Data
    System," *Serial Librarian* 3 (Spring
    1979): 243-53.

*Bulletin of the American Society for
    Information Science*. Vol 13, no.
    (August/September 1987); Vol. 14, no. 1
    (October/November 1987).

Burns, Robert W., Jr. "A Generalized
    Methodology for Library Systems
    Analysis," *College and Research
    Libraries* 23 (July 1971):295-303.

Bush, Vannevar, "As We May Think," *Atlantic
    Monthly* 176 (August 1945): 106.

Butler, Brett, "State of the Nation in
    Networking," *Journal of Library
    Automation* 9 (September 1975):200-220.

Campbell, Bonita J. *Understanding Information
    Systems*. Cambridge, MA.: Winthrop

Publications, 1977.

Campey, Lucille H. *Generating and Printing Indexes by Computer.* London: Aslib, 1972.

Chachra, Vinod. *Library Automation Plan.* Charleston, West Virginia: West Virginia Library Commission, 1981.

Changing Information Concepts and Technologies: A Reader for the Professional Librarian. White Plains, N.Y.: Knowledge Industry Publications, 1982.

Chapin, Ned. "Flowcharting with the ANSI: A Tutorial," *Computing Surveys* 2 (June 1970):19-46.

Chapman, Edward A.; St. Pierre, Paul H.; and Lubans, John, Jr. *Library Systems Analysis Guidelines.* New York: Wiley, 1970.

Chen, Ching-Chih and Bressler, Stacey E., ed. *Microcomputers in Libraries.* N.Y.: Neal-Schuman, 1982.

Chinese MARC Working Group, Library Automation Planning Committee. *Chinese MARC Format.* 2nd ed. Taip[ei: National Central Library, 1984.

Cline, Hugh F., and Sinnot, Lorraine T. *The Electronic Library: The Impact of Automation on Academic Libraries.* Lextington, MA.: Lexgington Books, 1983.

Cohen, E., and Cohen, A. *Automation, Space Management, and Productivity: A Guide for Libraries*. New York: Bowker, 1982.

"COMARC Project to End," *Journal of Library Automation* 11 (September 1978(:269.

Cooke, Michael. "Future Library Network Automation," *ASIS Journal* 28 (September 1977):254-58.

Corbin, John. *Developing Computer-Based Library systems*. Phoenix, Arizonia: Oryx, Press, 1981.

Corbin, John. *Managing the Library Automation Project*. Phoenix, Arizona: Oryx Press, 1985.

Costigan, D. M. *Electronic Delivery of Documents and Graphics*. Van Nostrand Reinhold, 1978.

Cuadra, Carlos A., "The Coming Era of Local Electronic Libraries," *Libraries and Information Science in the Electronic Age*, ed. by Hendrik Edelman. Phila.: ISI Pressm, 1986., pp. 11-22.

Davis, Charles H., and Rush, James E. *Guide to Information Science*. Westport, Conn.:Greenwood Press, 1979.

Davis, Charles H. and Gerald Lundeen, ed. "Library Automation," *Annual Review of Information Science and Technology*. v. 17, ed. by Martha E. Williams. Urbana-Champaign, Ill.: University of Illinois,

Graduate Schoool of Library and
Information Science, 1981.pp. 161-186.

De Gennaro, Richard. "Integrated Online
Library Systems: Perspectives,
Perceptions, & Practicalities," *Library
Journal* (May 1, 1985): 37-40.

De Gennaro, Richard, "Libraries and Networks
in Transition: Problems and Prospects for
the 1980's," *Library Journal* 106 (May
14, 1981): 1045-49.

De Gennaro, Richard, "Library Automation &
Networking Perspectives on Three
Decades," *Library Journal* (April 1,
1983):629-635.

De Gennaro, Richard, "Shifting Gears:
Information Technology and the Academic
Library," *Libraries and Information
Science in the Electronic Age.* ed. by
Hendrik Edelman. Philadelphia: ISI Press,
1986.

Deen, S. M. and Hammersley, P. *Databases.* New
York: Wiley, 1981.

Desmonde, William H. *Computers and Their
Uses.* Englewoood Cliffs, N.J.:
Prentice-Hall, 1971.

Dewey, Patrick P. *Public Access
Microcomputers.* White Plain, N. Y.:
Knowledge Industry Publications, 1984.

Diaz, Albert James, ed. *Microforms in
Libraries: A Reader.* Weston, Conn.:

Microform Review, 1975.

Divilbiss, J.L. ed. Clinic on Library
    Applications of Data Processing,
    University of Illinois at Urbana-
    Champaign, 1980. *Public Access to
    Library Automation*. Urbana-Champaign,
    Ill.: University of Illinois, Graduate
    Schoool of Library and Information
    Science, 1981.

Divilbiss, J.L. ed. Cllinic on Library
    Applications of Data Processing,
    University of Illinois at Urbana-
    Champaign, 1980.*The Economics of Library
    Automation. Urbana-Champaign, Ill.:
    University of* Illinois, Graduate Schoool
    of Library and Information Science, 1981.

Divilbiss, J.L. ed. Clinic on Library
    Applications of Data Processing,
    University of Illinois at Urbana-
    Champaign, 1980. *Negotiating for Computer
    Services*. Urbana-Champaign, Ill.:
    University of Illinois, Graduate Schoool
    of Library and Information Science, 1981.

Dougherty, R. M., and Heinritz, F. J.
    *Scientific Management of Library
    Operations*. 2nd ed. Metuchen, N.J.:
    Scarecrow, 1982.

Edelman, Henrik, ed. *Libraries and Information
    Science in the Electronic Age*. Phila-
    delphia: ISI Press, 1986.

*Encyclopedia of Library and Information
    Science*, v.14, N.Y.: Marcel Dekker, 1975.

Epstein, H., "Technology of Library and Information Networks," *ASIS Journal* 31 (November 1980): 425-37.

Evans, Glyn T., "Library Networks," *Annual Review of Information Science and Technology*, vol. 16, ed. by Martha E. Williams, 211-45. White Plains, N.Y.: Knowledge Industry Publications, 1981.

Fayen, Emily G. *The Online Catalog: Improving Public Access to Library Materials.* White Plains, N.Y.: Knowledge Industry Publications, 1983.

Fenichel, Carl Hansen, "Databases and Database Producers and Vendors," *Online Searching Technique and Management*, ed. by James J. Maloney. Chicago: ALA, 1983.

Fosdick, Howard. *Computer Basics for Librarians and Information Scientists.* Arlington, VA.: Information Resources Press, 1981.

Fung, Margaret C. *On Library and Information Science.* Taipei: Taiwan Student Book Co., 1982.

Fung, Margaret C. *Library and Information.* Taipei: Feng Cheng Publishing Co., 1979.

Gale, John C, "Current Trends in the Optical Storage Industry," *Bulletin of the American Sciety for Information Science* (September 1987): 12-14.

Genaway, David C. Integrated Online Library

Systems: Principles, Planning and
Implementation. White Plains, N.Y.:
Knowledge Industry Publications, 1984.

Goldstein, Charles M. *The Integrated Library
System (ILS): The System Overview*.
Washington, D.C.: Department of Health
and Human Services, 1981.

Gechm, M. C. "Machine Readable Databases,"
*Annual Review of Information Science and
Technology*, ed. by C.Cuadra and A. W.
Luke. Washington D.C.: American Society
for Information Science, 1972.

Gillman, Peter & Peniston, Silvina. *Library
Automation: A Current Review*. London:
Aslib, 1984.

Gorman, Michael, "Toward Bibliographic
Control," *American Libraries* 9 (November
1978):620-21.

Grosch, Audrey N. *Minicomputers in Libraries
1981-1982*. White Plains, New York.:
Knowledge Industry Publications, 1981.

Gull, C. D., "Logical Flow Charts and Other
New Techniques for the Administration of
Libraries and Information Centers."
Library Resources and Technial Services
12 (Winter 1968):47-66.

Hall, J. L. *On-line Information Retrieval
Sourcebook*. London: Aslib, 1977.

Harvey, Susan M. Miller, Ellen W. ed. *The
Online Age/Assessment/Directions*.

Collected Papers presented at the 12th
Mid-year Meeting of the ASIS, May 22-25,
1983, University of Kentucky,
Lextington, K. Y., Washington D. C.:
ASIS, 1984.

Hayes, Robert M. and Becker, Joseph. *Handbook
of Data Processing for Libraries*. 2nd ed.
Los Angeles: Melville Publishing, 1974.

Hildreth, Charles R. *Online Public Access
Catalogs: The User Interface*. Dublin,
Ohio: OCLC, L982.

International Business Machines Corporation,
"EBCDIC Chart," In *IBM System/370
Principles of Operation*. 5th ed.
Poukeepsie, N.Y.: IBM, 1976.

*International Organization for Standardization
Documentation - Formula for Bibliographic
Information Interchange on Magnetic Tape*.
Geneva: ISO, 1973;1980.

Kent, Allen and Galvin, Thomas. *The Structure
and Governance of Library Networks*.
N.Y.: Marcel Dekker, 1979.

Kilton, Thomas, "OCLC and the Pre-Order
Verification of Serials," *Serial
Librarian* 4 (Fall, 1979):61-64.

King, Donald, ed. *Key Papers in Design and
Evaluation of Information Systems*. White
Plains, N.Y. Knowledge Industry
Publications, 1978.

King, Donald W., ed. *Key Papers in the*

Economics of Information. White Plains,
N.Y.Knowledge Industry Publications,
1983.

Kountz, John "Automated Acquisitions Systems:
A Survey," *Journal of Library Automation*
13 (December 1980):250-260.

Lancaster F. W., ed. Clinic on Library
Application of Data Processing,
University of Illinois at Urbana-
Champaign, 1978. *Problems and Failures in
Library Automation.* Urbana-Champaign,
Ill.: University of Illinois, Graduate
School of Library and Information
Science, 1979.

Lancaster F. W., ed. Clinic on Library
Application of Data Processing,
University of Illinois at Urbana-Cham-
paign, 1979. *The Role of the Library in
an Electronic Society.* Urbana-Champaign,
Ill.: University of Illinois, Graduate
School of Library and Information
Science, 1980.

Lancaster, F. W., Drasgow, Laura S, and Marks,
Ellen B. *The Impact of a Paperless
Society on the Research Library of the
Future.* Urbana-Champaign, Ill.:
University of Illinois, Graduate School
of Library and Information Science,
Library Reseach Center, 1980.

Lancaster, F. W. *Libraries and Librarians in
an Age of Electronics.* Arlington, VA.:
Information Resources Press, 1982.

Lancaster F. W. *The Measurement and Evaluation of Library Services.* Washington, D.C.: Information Resources Press, 1977.

Lancaster, F. W. *Toward Paperless Information Systems.* N.Y.: Academic Press, 1978,

Lancaster F. W., ed. "Systems Design and Analysis for Libraries," *Library Trends,* vol. 21, no.4,. Champaign-Urbana, Illinois: University of Illinois, 1973.

Lee, Hwa-wei and Mulliner, K. "ALICE at One: Candid Reflections on the Adoption, Installation and Use of the Virginia Tech Library System at the Ohio University. In the *Second National Conference on Integrated Online Library Systems Proceedings,* September 13-14, 1984, Atlanta, Georgia, Canfield, Ohio: Genaway and Associates, Inc., 1984.

Lee, Lucy Te-chu, *Library and Information Science: A Collection of Essays.* Taipei: Sino-American Publishing Co., 1985.

Malinconico, S. Michael, and Fasana, Paul. *The Future of the Catalog: The Library's Choices.* White Plains, N.Y.: Knowledgfe Industry Publications, 1979.

Maloney, James J. *Online Searching Technique and Management.* Chicago: ALA, L983.

Markuson, Barbara Evans; Wagner, Judith; Schatz, Sharon; and Black, Donald V.

*Guidelines for Library Automation: A
Handbook for Federal and Other Libraries.*
Santa Monica, CA.: System Development
Corp., 1972.

Mathies, M. Lorraine and Watson, Peter G.
Computer-Based Reference Science.
Chicago: ALA, 1973.

Martin, James. *Future Development s in
Telecommunications.* 2nd ed. Englewood
Cliffs, N.J.: Prentice-Hall, 1977.

Martin, Susan K. *Library Networks, 1981-82.*
White Plains, N.Y.: Knowledge Industry
Publications, 1981.

Martin, Susan K., and Bulter, Brett, ed.
*Library Automation, The State of the Art
11.* Chicago: American Library
Association, 1975.

Matthews, Joseph R. "The Automated Library
System Marketplace, 1982: Change and More
Channge!" *Library Journal* 108 (March 15,
1983): 547-53.

Matthews, Joseph R. *Choosing an Automated
Library System:* A Planning Guide.
Chicago: American Library Association,
1980.

Matthews, Joseph R. "OCLC, RLIN, UTLAS, WLN.-
A Comparison " *Library Technology
Reports* 15 (November-December 1979):
665-838.

Matthews, Joseph R. *Public Access to Online Catalog: A Planning Guide for Managers.* Weston, Conn.: Online, Inc., 1982.

Mathews, Joseph R., ed. *A Reader on Choosing an Automated Library System.* Chicago; ALA, 1983.

McAllister, Caryl, McAllister, A. Stratton, "DOBIS/LIBIS; An Integrated, On-line Library Management System," *Journal of Library Automation* 12 (December 1979)300-313.

Meadow, Charles T. and Cochrane, Pauline. *Basics of Online Searching.* New York: Wiley, 1981.

Murdick, Robert G. MIS, *Concepts and Design.* Englewood Cliffs, N.J.: Prentice-Hall, 1980.

National Commission on Library and Information Science. *Toward a National Program for Library and Information Services: Goals for Action.* Washington, D.C.: U.S. Superintendent of Documents, 1975.

NOTIS System Description; NOTIS Configuration Guide; NOTIS Online Public Catalog. Evanston, Illinois: NOTIS, 1987.

OCLC. Acquisition Subsystem Overview, Dublin, Ohio, OCLC, 1980.

Overhage, C. F. I. and Reintjes, J. F., "Project INTREX: A General Review," *Information Storage and Retrieval*

(Winter, 1974): 157-88.

Pratt, Alan, "The Use of Microcomputers in Libraries," *Journal of Library Automation* 13 (Martch 1980): 7-17.

Potter, W. G. and Sirkin, A. F., ed. *Serials Automation for Acquisition and Inventory Control.* Chicago, ALA, 1981.

The Professional Librarian's Reader in Library Automation and Technology. White Plain, N.Y.: Knowledge Industry Publications, 1980.

Reed, Mary Jane Pabst, "The Washington Library Network's Computerized Bibliographic System," *Journal of Library Automation* 8 (September 1975): 174-200.

Reynolds, Dennis. *Library Automation: Issues and Appplications.* New York: Bowker, 1983

Rice, James, "Fiber Optics A Bright Information Future,:" *Library Journal* 105 (May 1980): 1135-37.

Richardson, John M., "Optical-Fiber Transmission," *ASIS Bulletin* 2 (January 1976): 40-41.

Rorvig, Mark E. *Microcomputers and Libraries: A Guide to Technology, Products and Applications.* White Plains, N.Y.: Knowledge Industry Publications, 1981.

Rouse, William B. and Rouse, Sandra H. *Management of Library Networks: Policy*

Analysis, Implementation and Control.
New York: Wiley, 1980.

Rush, James E., ed. "Technical Standards for
Library and Information Science,"
Library Trends 31 (FALL 1982).

Saffady, William *Introduction to Automation
for Librarians.* Chicago: ALA, 1983,

Sager, Donald J. *Public Library
Administrator's Planning Guide to
Automation.* Duublin, Ohio: OCLC Online
Computer Library Center, 1983.

Salmon, Stephen R. *Library Automation System.*
N.Y.: Marcel Dekker, 1975.

Salton, G. "Suggestions for Library Network
Design." *Journal of Library Automation*
12 (March 1979):39-52.

Saffady, William. *COM; Its Library
Applications.* Chicago: ALA, 1978.

Segal, R. "Technical Consideration in Planning
for a Nationwide Library Network," *ASIS
Bulletin* 6 (June 1980): 14-16.

Shenton, Kathleen E. "Types of Databases
Available," *Changing Information
Concepts and Technologies.* White Plains,
N.Y.: Knowledge Industry Publications,
1982.

Shera, Jessie H. *Introduction to Library
Science.* Littleton, Colorado: Libraries
Unlimited, 1976.

Simpson, George A. *Automated Circulation Systms in Public Libraries*. McLean, VA.: The Mitre Corporation, 1978.

Simpson, George A. *Microcomputers in Library Automation*. McLean, VA.: The Mitre Corp., 1978.

Smith, Linda C., ed. Clinic on Library Applications of Data Processing, University of Illinois at Urbana-Champaign, 1981. *New Information Technologies - New Opportunities*. Urbana-Champaign, Ill.: University of Illinois, Graduate School of Library and Information Science, 1982.

Snyder, Catherine E. and Webseter, Sheila L., "Videodiscs and Training," *Bulletin of the American Society for Information Science* (September 1987):22-23.

Stern, Robert A. and Stern, Nancy. *An Introduction to Computers and Informatioon Processsing*. N.Y.: Wiley, 1982.

Swihart, Stanley J. and Hefley, Beryl F., *Computer Systems in the Library: A Handbook for Managers and Designers*. Los Angeles: Melville Publishing Co., 1973.

Tanenhaum, Andrew S. *Computer Networks*. Englewood Cliffs, N.J.: Prentice Hall, 1981.

Taylor, David C. *Managing the Serials Explosion*. White Plains, N.Y.: Knowledge

Industry Publications, 1982.

Taylor, Robert, and Hieber, Caroline. *Manual for the Analysis of Library Systems.* Bethlehem, PA.: Lehigh University, 1965.

Tedd, Lucy A. *An Introduction to* Computer-Based Library Systems. London: Heyden, 1978.

Telecommunications and Libraries: A Primer for Librarians and Information Managers, ed. by Donald W. King. White Plains, N.Y.: Knowledge Industry Publications, 1981.

Ting, T. C., ed. *Chinese Character Processing for Computerized Bibliographic Information Exchange.* Summary Report of an International Workshop held in Hongkong 17-20 December, 1984, Ottawa, Ont.: International Development Research Centre, 1985.

Toohill, Barbara G. *Guide to Library Automation.* McLean, VA.: The Mitre Corporation, Metrek Division, 1980.

Tracy, Joan I. *Library Automation for Library Technicians: An Introduction,* Metuchen, N.J.: Scarecrow, 1986.

U.S. Library of Congresss, MARC Development Office. *Information on the MARC System.* Washingtron D. C., Library of Congress, 1974.

U.S. Library of Congresss, MARC Development

Office. *MARC Formats for Bibliographic Data.* Washington D.C.: Library of Congress, 1980.

USMARC Character Set - Chinese, Japanese, Korean. Washington D. C.: Library of Congress, 1986..

Van Rijsbergen, C. J., "File Organization in Library Automation and Information Retrieval," *Journal of Documentation* 32 (December 1976):294-317.

Venezziano, Velma, "Library Automation: Data Processing and Processing for Data," *Annual Review of Information Science and Technology,* V. 15, ed. by Martha E. Williams, 109-45.Industry Industry Publications, 1980.

Wang, Andrew, "OCLC CJK Automated Library Information Network," *Journal of Library and Information Science* 11 (October 1985) 143-153.

Wei, Karen and Noguchi, Sachie, "RLIN CJK vs OCLC CJK; The Illinois Experience." Paper presented at the 39th Annual Conference of the Association of Asian Studies. April 12, 1987, Boston, Massachusetts.

Weber, David C.. "Personnel Aspects of Library Automation," *Journal of Library* Automation 4 (March 1971):27-37.

Wittig, G. R., "CONSER (Cooperative Conversion of Serials Project): Building an Online

International Serials Data Base," *UNESCO
Bulletin for Libraries* 31 (September
1977) 303-10.

Wood, Lawrence A. and Pope Nolan F. (*The
Librarians Guide to Microcomputer
Technology and Applications.* White
Plains, N.Y.: Knowledge Industry
Publications, 1983.

中文資訊交換碼　臺北：中國圖書館學會：民 69 年。

朱壯康、黃美玉、葉妹蓁合譯　電腦與資訊處理　臺北：儒林：民
76 年。

李德竹編著　圖書館學暨資訊科學字彙　臺北：漢美：民 74 年。

黃明達撰　電腦入門與探討　臺北：松崗：民 73 年。

圖書館自動化作業規劃委員會中國機讀編目格式工作小組編撰　中國
機讀編目格式　第 2 版　臺北：國立中央圖書館：民 73 年。

中文索引

二　畫

二進制十進位交換碼　　　　　　　　　　　40,41
人員訓練　　　　90,92,95,97,109,113-114

四　畫

文內關鍵字索引　　　　　　　　　　　　　　80
文外關鍵字索引　　　　　　　　　　　　　　80
王安公司　　　　　　　　　　　　　　33,87
五校資訊網　　　　　　　　　　　　　　　91
匹次堡區域圖書中心　　　　　　　　　　　93
孔姆　　　　　　　　　　　　　　　58,90
中文資訊交換碼　　　　　　　　　　　41-42
中央處理機　　　　　　　　17,19-20,108
中西部圖書館資訊網　　　　　　　　　　　92
中國機讀編目格式　　　　　　　　　　49-50
中華壹號　　　　　　　　　　　　　　　57
分批作業　　　　　　　　　　　10,62,65
分段圖　　　　　　　　　　　　　98-100
分欄　　　　　　　　　　36,46-47,49

公用目錄   30-34,58,89

五　畫

立體儲藏   24

加州圖書館系統與服務管理處   91

加拿大機讀編目格式   43

加拿大多倫多大學圖書館自動化系統

　見　多倫多大學圖書館自動化系統

布爾邏輯   79

比次　見　位元

六　畫

伊利諾州　見　依里諾伊州

多倫多大學圖書館自動化系統   56,89

字元   20-21,40

光碟   24-25,119

光筆   21,63,105

光學辨認器   22,63,105,119

光纖傳播系統   26,119

西北大學圖書館   29-30

西部圖書館資訊網　見　華盛頓州西部圖書館資訊網

同軸電線資訊網   86-87

自動化　見　圖書館自動化

成本和效益的評估   95,97,106-107

全文資料庫 77-78

合約之簽訂 95,97,110-111

合約審查報告 95,97,112

印表機 22,56-57,108

七 畫

改裝系統 11,101,103

投標 95,97,108-109

系統分析 97-101

系統評鑑 95,97,114-115

系統軟體運作 見 操作系統

系統規格 95,97,107-108

位元 17-18,20-21,40-41

八 畫

非書目資料庫 70,76-78

非關鍵字彙 80

招標 95,97,108-109

招標文件 109

東南圖書館資訊網 93

明尼蘇達圖書館資訊交換中心 92

明尼蘇達大學期刊聯合目錄 64

廸吉多電腦公司 31-34

依州資訊網（依里諾伊州資訊網） 92

九　畫

前後文關係索引法　　　　　　　　　　　80-81

前組合主題索引　　　　　　　　　　　　81

前端處理機　　　　　　　　　　　　　　88

美國研究圖書館資訊網　　　　42-43, 56-58, 87-88

　亞東字集交換碼　　　　　　　　　　　42-43

美國國家圖書館及資訊科學委員會　　　　85

美國國會圖書館卡片號碼　　　　　　　　57, 88

美國國會圖書館機讀編目格式　見　美國機讀編目格式

美國國家標準資訊交換碼　　　　　　　　40-41

美國醫學圖書館　見　美國國立醫學圖書館

美國國立醫學圖書館　　　33-34, 50, 70, 78, 90

美國機讀編目格式　　　　　　　　　　　43-45, 55

頁印機　見　雷射印表機

英國機讀編目格式　　　　　　　　　　　43

南部圖書館資料網　　　　　　　　　　　89

指令　　　　　　　　　　　　　　　　　26-27, 85

威斯康辛圖書館合作組織　　　　　　　　93

威傑士羅馬拼音法　　　　　　　　　　　57

俄亥俄電腦圖書館中心

　見　俄亥俄資訊網

俄亥俄資訊網　　　　　　　　　　　　　87

十　畫

流程圖　　　　　　　　　　　　　　　　　　28, 98, 100

記憶部份　　　　　　　　　　　　　　　　　　19-21

書目供用中心　　55, 57, 63-64, 87, 101-102, 107, 114, 119, 120

書目資料庫

　人文科學類　　　　　　　　　　　　　　　　76

　工程類　　　　　　　　　　　　　　　　　　72-73

　社會科學類　　　　　　　　　　　　　　　　74-76

　科技類　　　　　　　　　　　　　　　　　　71

　綜合類　　　　　　　　　　　　　　　　　　70-71

　應用科技類　　　　　　　　　　　　　　　　71-72

書目資料機讀編目格式　　　　　　　　　　　　44-45

紐約時報　　　　　　　　　　　　　　　　　　70

條碼　　　　　　　　　　　　　　　　　　　21, 63

十一畫

終端機　　　　21, 23, 56-57, 87, 108, 120, 121

密西根圖書館合作組織　　　　　　　　　　　　92

商用程式語言　　　　　　　　　　　　　　　　28

專題選粹　　　　　　　　　　　　　　　　　　53, 79

培基語言　　　　　　　　　　　　　　　　　　28

現版書目　　　　　　　　　　　　　　　　　　70

掃描器　　　　　　　　　　　　　　　　　21, 26, 119

通訊協定 85,120

國際標準局 39-40

國際標準叢刊號碼 47,57,63-64,88

國際標準圖書號碼 47,57,88

國際機讀編目格式 45-48

國際事務機器公司 15,30-32,40

透明程式 120

研究圖書館資訊網

　　見　美國研究圖書館資訊網

十二畫

惠普公司 30

軟體 26

期刊代碼 57-58

期刊變更計劃 64

華盛頓州西部圖書館資訊網 56,58,88-89

　　華盛頓州圖書館資訊網　見　華盛頓州西部圖書館資訊網

單一系統 10

程式 27-30,120

統整系統 10,115

週邊設備 19,21-26

十三畫

資料 19,34-36,44-46,48

組織　　　　　　　　　　　　　35-36

　單位　　　　　　　　　　　　35

　類型　　　　　　　　　　　　35

資料同步器　　　　　　　　　　24

資料庫　　　　　29,36,55-58,70-79

資料庫管理系統　　　　29-30,81,88

資訊交換碼　　　　　　　37,39-43

資訊網

　定義　　　　　　　　　　　　85

　組織　　　　　　　　　　　　90

　種類　　　　　　　　　　　85-93

資訊移轉試驗　　　　　　　　　16

溫沙碟　　　　　　　　　　　　24

新知通報　　　　　　　　　53,79

新英格蘭區資訊網　　　　　　　93

雷射印表機　　　　　　　　　　22

電子郵件　　　　　　　　　66,102

電傳設備　　　　　　　　　25-26

電腦

　功能　　　　　　　　　　　　4

　字長　　　　　　　17-18,20-21

　代　　　　　　　　　　　　　18

　語言　　　　　　　　　　27-29

　混合　　　　　　　　　　　　16

　　數位　　　　　　　　　　　　　　　　16

　　類比　　　　　　　　　　　　　　　　16

　　類型　　　　　　　　　　　　　　　17-18

電腦排印參考工具資料　　　　　　　　79-80

電腦設備　　　　　　　　　　　　13,15-34

　　標準　　　　　　　　　　　　37,39-50

　　趨勢　　　　　　　　　　　　119-122

　　類別和範圍　　　　　　　　　　　7,9-11

　　顯著之效益　　　　　4,54,85,119-120

電腦發展階段　　　　　　　　　　　　15-16

電腦語言　　　　　　　　　　　　　28-29

電腦輔助參考服務　　　　　　　　　9,69-81

電腦編製參考工具資料　　　　　　　9,79-81

電腦輸出縮影機　　見　孔姆

裝機須知　　　　　　　　　95,97,112-113

落磯山脈區研究書目中心　　　　　　　　91

會議論文索引　　　　　　　　　　　　70

傳技電腦公司　　　　　　　　　　　　57

傳真設備　　　　　　　　　　　　26,119

十四畫

複合式電子產品　　　　　　　　　　　113

福傳程式　　　　　　　　　　　　　28-29

賓州資訊網　　　　　　　　　　　　　93

對應順序編碼　　　　　　　　　　　　　　41

輔助記憶體　　　　　　　　　　　　20-21

輔助儲存設備　見　輔助記憶體

圖書館自動化

　功能　　　　　　　　　　　　　　　4

　目的　　　　　　　　　　　　　　4-5

　作業方式之選擇　　　　　95,101-106

　參考之資料　　　　　　　　123-126

　定義　　　　　　　　　　　　　　3

　流通（出納）系統　　　　　59,61-63

　設置與選擇　　　　　　　95,97-115

　規劃原則　　　　　　　　　　95,97

　採訪與編目作業　　　　　　51,53-58

　參考服務　　　　　　　　　67,69-81

　期刊管理　　　　　　　　　　63-65

　資訊網與館際合作　　　　　83,85-93

圖書館資源委員會　　　　　　　　　64

維吉尼亞大學資訊系統　　　　　　　34

十五畫

調變器　　　　　　　　　　　　　　113

論文索引　　　　　　　　　　　　　70

審查投標書　　　　　　　95,97,109-110

磁帶　　　　　　　　　　　　　　　23

磁帶記錄機   21

磁帶機   23

磁帶閱讀機   21

磁碟   23-24

磁碟組   24

磁碟機   108

數元　見　位元

影象傳眞　見　傳眞設備

數字統計型資料庫   78

線上公用目錄   58

線上目錄   58,89

線上作業   9,62,64

線上檢索   64-79

線下作業   10,58

緩衝記憶   24

十六畫

澳州機讀編目格式   43

螢幕顯示機　見　終端機表

機外儲存設備　見　輔助記憶體

機具設置進行程序及方法   97-113

機讀編目格式   37,43-50

整合系統　見　統整系統

整批作業　見　分批作業

輸入設備　　　　　　　　　　　　　21-22

輸出設備　　　　　　　　　　　　　22-23

錄影文字　　　　　　　　　　　　　119

錄影碟　　　　　　　　　　　　　25, 119

操作系統　　　　　　　　　　　　　26-28

十七畫

應用軟體系統　　　　　　　　　26, 28-29

應用程式成品　　　　　　　　　　　29

聲音輸入法　　　　　　　　　　　　22

聲音輸出法　　　　　　　　　　　　23

點矩陣印字機　　　　　　　　　　　22

鍵盤輸入儲存　　　　　　　　　　　21

十八畫

轉鍵系統　　　　　　　　　　　10-11, 89

關鍵字索引法　　　　　　　　　　　80

二十二畫

權威檔案機讀編目格式　　　　　　　44

英文索引

A

ABI/Inform   74
Academic American Encyclopedia   77
Acquisition Sub-system   54
Adapted System   11
ADABAS   88
Agricola   72
AIM/ARM   74
Aiken, Howard   15
ALGOL   29
Algorithmic Language see ALGOL
ALIS   62
America: History & Life   76
American Libraries   126
American Standard Code for
    Information Interchange see ASCII
Amigos Bibliographical Council   90
Apilit Apipat   72
Application Software   26-29
Application Software Package   29
Aqualine   71
Aquaculture   71
Aquatic Sciences and Fisheries
    Abstracts   71
Arete Publications   77
Arithmetic Machine   15
Arithmetic Unit   19-20
Artificial Intelligence   18
Artbibliographies Modern   76
ASCII   40-41,89
ASI Database   74
Assembler   27

AUS/MARC   43
Authorities: MARC Format   44
Automated Circulation   61-63
Automated Library Information
  System see ALIS

B

Babbage, Charles   15
Back-up   108
BALLOTS see RLIN
Bar Code   21
BASIC   28
BASIC Assembler   30
BASIS TECHLIB   32-33
Batch Processing Operating System   27
Batch System   10
Battelle   32
BCR   91
Beehive   87
Beginners All Purpose Symbolic
  Instruction Code see BASIC
BHRA Fluide Engineering   72
Bibliographic Automation of
  Large Library Operation Using
  Time-Sharing System see BALLOTS
Bibliographical Center for Research,
  Rocky Mountain Region see BCR
Bibliographic Data Base   70-76
Bibliographic Fields   48
Bibliographic Retrieval Service see BRS
Bibliographic Utilities   10,55-57,87-89
Billings, John   15
Binary Digit   20
Biography Master Index   77
BIOSIS Previews   71
Bit/Bits   17-18,20,23-24
Block   23
  Coded Information   47
  Descriptive   47
  Functional   45

Identification   47
Intellectural Responsibility   48
International Use   48
Linking Entry   48
National Use   48
Notes   47
Related Title   48
Subject Analysis   48
Undefined   48
Block Diagram   98-100
BLS Consumer Price Index   78
BLS Employment Hours and Earnings   78
BLS Labor Force   78
BLS Producer Price Index   78
Books In Print   70
Boolean Logic   79
Bowker Serials Bibliography Data Base   64
BRS   64,69-70,89,91-93
Buffer   24
Burroughs Corporation   69
Bush, Vannevar   16
Byte/Bytes
    Kilobytes (KB)   20
    Gigabytes (GB)   20
    Megabytes (MB)   32

C

CA Search   71
CAB Abstracts   72
Cable (simplex; half duplex; full duplex)   25
CADMUS   62
California Library Authority for
    Systems and Services see CLASS
CAN/MARC   43
Canadian Business Periodical Index   74
Career Placement Registry   77
Carrolleton Press   55
Cataloger-generated References   44
CATFAX   77
Cathode-ray Tube see CRT

CCCII   41-42
CDC   33
CD-ROM   24-25,119
Central Processor Unit   19
Character   20-21,46,48
Checkmat   65
Chemname   77
Chemsearch   77
Chemsis   77
Child Abuse and Neglect   74
Chinese Character Code for
  Information Interchange see CCCII
Chinese MARC Format   49-50
CIS   70
CLASS   65,91
CL System LIBS 100 see CLSI LIBS 100
CLSI LIBS 100   33,62
Coaxial Cable   86-87
COBOL   28
Code for Information Interchange   39-43
Code of the Japanese Graphic Character
  Set for Information Interchange   43
Code of Chinese Graphic Character Set for
  Information Interchange (Primary Set)   43
Coden   63
COM   22,58,90
COMARC   55
COMIT   29
Command Language   27
Common Business Oriented Language see
  COBOL
Community Information File   32
Compact Disc Read Only Memory see CD-ROM
Compact Shelving   3
Compendex   72
Compiler   28
Comprehensive Dissertation Index   70
CompuServe   78
Computer   3
  Analog   16
  Digital   16

Full Size	17
Generation	18
Hardware	19-26
Hybrid	16
Mainframe	17-18
Maxi	17
Micro	17
Mini	17-18
Software	19,26-34
Super	17-18
Word Length	17-18
Computer Abstracts	126
Computer and Education	125
Computer Equipment Review	125
Computer Output Microfilm see COM	
Computer Teleconference	66
Computing Reviews	126
Conference Paper Index	70
Connecting Time	79
CONSER	64-65
Conspectus Online	54
Content Designator	44
Control Field	45
Control Unit	19-20
Conversion of Serials see CONSER	
Cooperative Library System	89
Council on Library Resources	64
Criminal Justice Periodical Index	74
CRT	23
Current Awareness	53,79

D

Data	19,34-36,44-46,48
Data Base Management System see DBMS	
Data Content of the Record	44
Data Elements	35
Data Field	45
Data General	34
Data Phase Systems	28,62
Data Processing Digest	126

Data Processing in Libraries 3
Data Synchronizer 24
Datafields 48
DBMS 29,81
DEC 31-32,85-86
Decnet 85
DIALOG 64,69,79,89,92-93
Difference Analyzer 16
Difference Engine 15
Digital Equipment Corporation see DEC
Digital Facsimile 119
Directory 46-47
Disk Pack 24
DOBIS 29,31,62
Documentation 108
DOE Energy 72
Dortmunder Bibliotheksystem 31
Dot Matrix Printer 22

E

EBCDIC 40-41
EBSCO 65
EBSCONET 65
Eckert, J. 15
Economics Abstracts International 74
Editing and Formating 66
Editor 28
Educational Products Information Exchange
  see EPIE
Educational Resources Information Center
  see ERIC
EIS Industrial Plants 77
Electric Book Conveyor 3
Electronic Book 120
Electronic Circuits 26
Electronic Mail 66,102
Electronic Scanning Input 21
Encyclopedia of Association 77
Energyline 73
ENIAC 16

Enviroline   73
Enviromnental Bibliography   73
EPIE   125
ERIC   74
Escape Sequence, ESC   40-41
Ethernet   86
Exceptional Child Education Resources   74
Excerpta Medica   72
Extended Binary Coded Decimal
   Interchange Code see EBCDIC
EXXON   86

F

Facsimile Transmission   26
FAUL   89,91
FAXON   33,65
Fiber Optic System (Fiber Optics)   26,119
Field Separator   48
Fields   35,45-48
File   35-36
Firmware   26
Five Associated University Libraries
   see FAUL
Fixed Length (Fields)   35,46
Flat Organization see Sequential
   Organization
Floppy Disk   24,57
Flowchart   98-100
Food Science and Technology Abstracts   72
Foods Adlbra   72
Foreign Trader Index   77
Format Recognition   55
Formula Translation see FORTRAN
FORTRAN   28
Foundation Directory   77
Foundation Grants Index   77
Front End   88

• 圖書館自動化導論 •

G

GEAC Library Information System/GLIS
  see GEAC
GEAC   33,62
General See Also Reference   44
Geoarchiv-Geosystems   71
Georef   71
Go List   80
Grant Database   77

H

H & R. Block   78
Harfax Industry Information Sources   74
Heading   44
Hepbura   57
Hewlett-Packard HP3000   30,34
Historical Abstracts   76
Hollerich, Herman   15
Holographic Storage   24
Honeywell   89

I

IBM   15,22,29-32,40,70,81,85,88
ICL Incorporated   62
IES Lighting Handbook   113
ILS   33-34
Illinet   89-90,92
Illinois Library and Information
  Network see Illinet
INCOLSA   92
Index
  Computer Formatted; Computer Generated   79
  General; Local   58
Index to Publications of the U.S.
  Congress see CIS
Indiana Cooperation Library Services
  Authority see INCOLSA

Indicator   46,48
Information   35
  Primary
  Secondary
Information Access   75
Information Handling Services   69-70
Information Retrieval   9
Information Technology and Libraries   126
Information Transfer Experiments
  see INTREX
Implementation Code   46
Input   21-22
  Electric Scanning Input
  Keyboard Input
  Touch Screen Input
  Voice Input
INSPEC   73
Insurance Abstracts   75
Integrated Circuits   18
Integrated Library Systen see ILS
Integrated Services   102
Integrated System   10,115
Intel   86
Interactive Function   23
Interactive Operating System   27
Interface   120
Interlibrary Network   90
International Center for Registration of
  Serials   64
International Network   90
International Serial Data System
  see ISDS
International Software Directory   77
International Standard Book Number see
  ISBN
International Standard Organization
  see ISO
International Standard Serial Number
  see ISSN
Interpreter   28
Intralibrary Network   90

Intrastate Network 90
INTREX 16
Inverted Files 36
ISBN 47
ISDS 64
ISO 39-41,43
ISMEC 73
ISSN 47,63

J

Japanese Industrial Standard JIS C6226
   see Code of the Japanese Graphic Char-
   acter set for Information Interchange
Job Control Language 27

K

Key to Storage 21
   Key to Tape
   Key to Disk
Keyboard Input see Input
Keyword and Context see KWAC
Keyword-In-Context see KWIC
Keyword-Out-Of-Context see KWOC
Keywords 79
KWAC 80
KWIC 80
KWOC 80

L

Language and Language
   Behavior Abstracts 75
Laser Printer 22
LCMARC see US MARC
LCMARC-S Format 64
LCMS 62
Leader 45
Legal Resources Index 75
LEXIS 75,77-78

Leibniz, Gottfried   15
Leuvens Integral Bibliothek System   31
Library and Information Science
    Abstracts see LISA
Library Automation
    Definition   3
Library Collection Management System
    see LCMS
Library Hi-Tech   126
Library Literature   126
Library Mechanization   3
Library of Congress Machine Readable
    Cataloging Format see LC MARC
Library Resources and Technical Services   126
Library Systems Newsletter   126
Library Technology Report   126
Light Pen   21
Line Printer   22
LINX   33
LISP   29
LISA   76,126
Local Implementation   44-45
Locally-developed System   11
Lockheed Missiles and Space Company
    (Lockheed)   69,91
Logic Unit   20
LS/VLS Integrated Arrays   18

M

Machine Readable   16,21
Machine Readable Cataloging Format
    see MARC
Magazine Index   70
Maggie's Place   29,31-32
Magnetic Disk   23-24
Magnetic Tape   23-24
Magnetic Tape Drive   23
Management Contents   75
Management Information System   65
Maricopa County Library   88

MARC   39,43-50,55,70
MARC Formats for Bibliographic Data
  see MFBD
MARK I   15-16
Mauchly, John   15
McCane-Rerschanet   57
Meditech Interpretive Information System
  see MIIS
Medline   72,78
Medlars   72,78
MEMEX   16
Memory Unit   20
Mental Health Abstracts   75
Metadex   73
MFBD   44-45
Michigan Library Consortia see MLC
Microfiche   22
Microfilm   22
Microsecond   17
Midnet   92
Midwest Region Library Network
  see Midnet
MIIS   28
Milliseconds   18
MINITEX   92
Minnesota Interlibrary Tele-
  communication Exchange see MINITEX
Minnesota List of Serials see MULS
MLA Bibliography   76
MLC   92
Modem   113
Monarch's Codebar   22
Monthly Catalog of U.S.
  Government Publications   70
MULS   64
Multiplexer   113
MUMPS   28

N

Nanosecond   17

National Commission on Justice
  Reference Service see NCJRS
National Commission on Libraries and
  Information Science see NCLIS   77
National Foundation
National Information Center for Special
  Educational Materials see NICSEM
National Interlibrary Code   90
National Library of Agriculture   72
National Library of Medicine   72,78,89
National Network   90
National Newspaper Index   71
National Serial Data Program see
  NSDP
National Technical Information
  Service see NTIS
NCJRS   75
NCLIS   85
NELINET   90,93
New England Library and Information
Network see NELINET
Network   10,85-93
New York State Interlibrary Loan
  see NYSILL
New York Times Information Bank 71,91
New York Times Information Service 78
Newsearch   71
Newspaper Index   71
NICSEM/NIMIS   75
Nonferrous Metals Abstracts   73
Northwestern Online Total Integrated
  System see NOTIS
Notes   44-45,47
NOTIS   29-30
NSDP   64
NTIS   71
NYSILL   89-90

O

Oceanic Abstracts   71

OCLC   32,54-58,64-65,77,87-93
OCLC CJK Program   56-57
OCLC Project 2000   77
OCR   22,119
Off-line System   10
Off-the-Shelf System   10-11
Ohio Coggege Library Center see OCLC
Ohionet   93
OLIS   30-31
On-line Computer Library Center
  see OCLC
On-line Catalog   58,89
On-line Library Information System see OLIS
On-line System   9
On-line Public Access Catalog see OPAC
OPAC   58
Operating Language   27
Operating System   26-28
Operating System Language see OSL
Optical Character Recognition Reader
  see OCR
Optical Disk   24-25
Optical Drive   25
ROBIT   69,79,89,92
OSL   27
Output   21-23

P

Palinet   93
Parallel Tracks   23
Parity Bit   23
Parker, Ralph   16
PASCAL   29
Pascal, Blaise   15
PDP   32-33
Pestdoc   72
Periodical Holding in Library School
  of Medicine see PHILSOM
Peripheral Equipments   21-26
Petroleum Abstracts   73

Pharmaceutical News Index 72
Philosopher's Index 76
PHILSOM 65
Physical Description 45
Pikes Peak Regional Library District 29
Pits 24
Pittsburgh Regional Library Center
  see PRLC
Plane 41
PL/1 29
Pollution Abstracts 73
Population Bibliography 75
PRECIS 80
Pre-Coordinated Index 81
Predicast Files 78
Preserved Context Index System
  see PRECIS
Prime Computer 85
Primenet 85
Printer 22
PRLC 93
Profile 79
Programming Language/1 see PL/1
Protocol 85,120
PSYCINFO 75
Public Access Catalog 58

R

Ramtek 87
Rapra Abstracts 73
REACC 42-43
Read Only Memories see ROM
Reader's Digest 78
Real Time System 27
RECON 55
Record Definition 46
Record Directory 45
Record Identifier 48
Record Label 46
Record Length 46

Record Structure 44
Record Type 46
Records 35
REMARC 55,70
Report Program Generator see RPG
Request for Proposal see RFP
Research Libraries Group 56
Research Libraries Information
  Network see RLIN
Reserved Fields 48
Retrospective Conversion see RECON
RFP 109
RILM Abstracts 76
Ringdoc 72
Ringgold Management Systems 62
RLIN 32,42,56-58,87-88
RLIN East Asian Character
  Code see REACC
ROM 26
RPG 29

S

SAE Abstracts 73
Safety Science Abstracts 73
Satellite Communication 26
Scanner 119
Screen Touch 22
SDC Search Service 69,91
SDI 53,79
Serachable Physics Information
  Notices see Spin
Security Device 3
See From Tracing 44
See Also From Tracing 44
Selective Dissemination of Information
  see SDI
Sequential Organization 35
Series Added Entries 45
Series Statements 45
Shared Cataloging 87

Shared System   10
Sinoterm   57
Small System Executive/Virtual
  System Extended   31
SNA   85
SNOWBOL 4   29
Social Scisearch   75
Sociological Abstracts   75
Software   19,26-34
Software Review   125
SOLINET   90,93
Source   78
Sourcebook of Library Technology   126
Southeastern Library Network see
  SOLINET
SPEC Kits   125
Spin   71
SSIE Current Research   77
Stairs   70,81
Stand-alone System   10
Standard and Poors News   75
Stop List   80
Storage   23-25
  Auxiliary
  Secondary
String Processing Language   29
Subfield Identifier   46
Subject Added Entries   45
Subject Searching   58
Surface Coatings Abstracts   74
Sychronized Audio-Visual Equipments   3
System and Procedures Exchange Center   125
System Development Cooperation see SDC
System Network Architecture see SNA
System Software   26-28
System Specification   107,109

T

Tabulating Machine Company   15
Tag   47-48

Taylor, F.W. 9
Tele-facsimile 119
Telenet 79,90
Thesaurus 79
Time Sharing System 27
Total Management System 81
Total System 10
Trade and Industry Index 76
Trade Opportunities 78
Transistors 18
Transparent Programming 120
Treatment Decisions 44
Truncate 30
Turnkey System 10,89
Tymnet 79,88,90

U

UK/MARC 43
ULYSIS 29,32,62
UNIMARC 45-48
Union Library Catalogue of Pennyslvania 93
UNIVAC 33
Universal Library Systems see ULYSIS
Universal Product Code 22
University of Dortmund 31
University of Toronto Library
   Automation System see UTLAS
UTLAS 32,56,62,87,89
US MARC 43-45,64
U.S. Export 78
U.S. Political Science Documents 76
U.S. Public School Directory 78

V

Vaccum Tubes 18
Variable Fields 45
Variable Length (Fields) 35
VAX 32
VDU 23

Vetdoc   72
Video Disc   25,119
Video Display Units see VDU
Videotext   119
Virginia Tech Library System see VTLS
Voice Input   22
Voice Output   23
VS   33
VTLS   28-29,34

W

Wade-Giles   57
Wangnet   87
Washington Library Network see WLN
Water Resources Abstracts   71
Weldasearch   74
Western Library Network see WLN
Winchester Disk   24,57
Wisconsin Interlibrary Loan Service   93
Wisconsin Library Consortium see WLC
WLC   93
WLN   32,56,58,87-89
Word Processing   65
World Affairs Report   76
World Aluminum Abstracts   74
World Book Encyclopedia   78
WORM   25
Write Once, Read Many see WORM

X

Xerox   87,89

Z

Zebra Code   21
Zilog   86
Znet   86

國立中央圖書館出版品預行編目資料

圖書館自動化導論＝A primer of library automation
／張鼎鍾編著.-- 修訂版, --臺北市：中國圖書館學會
出版：臺灣學生發行，民80
　　面；　公分.--（圖書與資訊叢書；第3號）
　　參考書目；面
　　含索引　中文：　　　　　英文：
　ISBN 957-15-0241-3（精裝）.
　ISBN 957-15-0242-1（平裝）

　1.圖書館－自動化

028　　　　　　　　　　　　　　　　80001919

圖書與資訊叢書 第三號

圖書館自動化導論（全一冊）

編　著　者：張　　鼎　　鍾
出　版　者：中　國　圖　書　館　學　會
發　行　人：丁　　文　　治
發　行　所：台　灣　學　生　書　局
　　　　　　臺北市和平東路一段一九八號
　　　　　　郵政劃撥帳號〇〇〇二四六六八號
　　　　　　電話：三　六　三　四　一　五　六
　　　　　　FAX：三　六　三　六　三　三　四
本書局登
記證字號：行政院新聞局局版臺業字第一一〇〇號
印　刷　所：常　新　印　刷　有　限　公　司
　　　　　　地址：板橋市翠華街八巷一三號
　　　　　　電話：九　五　二　四　二　一　九

定價　精裝新臺幣二二〇元
　　　平裝新臺幣一六〇元

中華民國七十六年十二月初版
中華民國八十四年九月修訂版二刷

　ISBN　957-15-0241-3（精裝）
　ISBN　957-15-0242-1（平裝）